中國美術全集

紡織品 二

全國百佳圖書出版單位
時代出版傳媒股份有限公司
黃山書社

目　　錄

遼北宋西夏金南宋（公元九一六年至公元一二七九年）

頁碼	名稱	時代	出土發現地	收藏地
245	尖頂錦帽	回鶻高昌	新疆若羌縣阿拉爾墓葬	新疆維吾爾自治區博物館
245	孔雀雙羊紋錦袍	回鶻高昌	新疆若羌縣阿拉爾墓葬	新疆維吾爾自治區博物館
246	土黃地鴣鵯瑞草紋錦	回鶻高昌	新疆若羌縣阿拉爾墓葬	新疆維吾爾自治區博物館
246	四葉對鳥紋刺綉	回鶻高昌	新疆若羌縣阿拉爾墓葬	故宮博物院
247	靈鷲球紋錦袍	回鶻高昌	新疆若羌縣阿拉爾墓葬	故宮博物院
248	折枝花卉印花絹	西夏	寧夏賀蘭縣拜寺溝方塔	寧夏回族自治區文物考古研究所
248	童子戲花圖印花絹	西夏	寧夏賀蘭縣拜寺口西塔	寧夏博物館
249	緙絲綠度母	西夏	內蒙古額濟納旗黑水城遺址	俄羅斯艾爾米塔什博物館
250	刺綉唐卡空行母	西夏	內蒙古額濟納旗黑水城遺址	俄羅斯艾爾米塔什博物館
250	花珠冠	金	黑龍江哈爾濱市阿城區金齊國王墓	黑龍江省文物考古研究所
251	醬地金錦襴綿袍	金	黑龍江哈爾濱市阿城區金齊國王墓	黑龍江省文物考古研究所
251	醬地金錦襴綿袍	金	黑龍江哈爾濱市阿城區金齊國王墓	黑龍江省文物考古研究所
252	褐地朵梅雙鸞金錦綿裹肚	金	黑龍江哈爾濱市阿城區金齊國王墓	黑龍江省文物考古研究所
253	黃地小雜花金錦夾襪	金	黑龍江哈爾濱市阿城區金齊國王墓	黑龍江省文物考古研究所
253	褐地翻鴻金錦綿袍	金	黑龍江哈爾濱市阿城區金齊國王墓	黑龍江省文物考古研究所
254	牡丹捲草泥金羅腰帶	金	黑龍江哈爾濱市阿城區金齊國王墓	黑龍江省文物考古研究所
255	青色羅垂脚幞頭	金	黑龍江哈爾濱市阿城區金齊國王墓	黑龍江省文物考古研究所
255	醬地雲鶴紋金錦綿袍	金	黑龍江哈爾濱市阿城區金齊國王墓	黑龍江省文物考古研究所
256	絳絹綿吊敦	金	黑龍江哈爾濱市阿城區金齊國王墓	黑龍江省文物考古研究所
256	折枝梅織金絹裙	金	黑龍江哈爾濱市阿城區金齊國王墓	黑龍江省文物考古研究所
257	菱紋羅綉團花大口褲	金	黑龍江哈爾濱市阿城區金齊國王墓	黑龍江省文物考古研究所
257	菱紋羅綉團花大口褲	金	黑龍江哈爾濱市阿城區金齊國王墓	黑龍江省文物考古研究所
258	棕褐地團雲龍印金羅大口褲	金	黑龍江哈爾濱市阿城區金齊國王墓	黑龍江省文物考古研究所
258	羅地綉花鞋	金	黑龍江哈爾濱市阿城區金齊國王墓	黑龍江省文物考古研究所
259	綠地忍冬雲紋夔龍金錦	金	黑龍江哈爾濱市阿城區金齊國王墓	黑龍江省文物考古研究所
259	纏枝花鳥紋綾	大理國	雲南大理市崇聖寺三塔主塔	雲南省博物館
260	褐黃色羅鑲印金彩繪花邊廣袖女袍	南宋	福建福州市浮倉山黃昇墓	福建博物院

1

頁碼	名稱	時代	出土發現地	收藏地
260	紫灰縐紗滾邊窄袖女夾衫	南宋	福建福州市浮倉山黃昇墓	福建博物院
261	深烟色牡丹花羅背心	南宋	福建福州市浮倉山黃昇墓	福建博物院
261	四幅兩片直裙	南宋	福建福州市浮倉山黃昇墓	福建博物院
262	褐色牡丹花羅	南宋	福建福州市浮倉山黃昇墓	福建博物院
262	褐色牡丹芙蓉花羅	南宋	福建福州市浮倉山黃昇墓	福建博物院
263	印金敷彩菊花紋花邊	南宋	福建福州市浮倉山黃昇墓	福建博物院
263	印金彩繪芍藥燈球花邊	南宋	福建福州市浮倉山黃昇墓	福建博物院
264	羅地刺繡蝶戀芍藥花邊	南宋	福建福州市浮倉山黃昇墓	福建博物院
264	褐色羅繡牡丹花荷包	南宋	江西德安縣寶塔鄉	江西省德安縣博物館
265	貼繡牡丹素羅荷包	南宋	江蘇金壇市周瑀墓	江蘇省鎮江博物館
265	星地折枝花絞綾單裙	南宋	江西德安縣寶塔鄉	江西省德安縣博物館
266	刺繡秋葵蛺蝶圖	南宋		臺北故宮博物院
266	彩繡瑤臺跨鶴圖	南宋		遼寧省博物館
267	緙絲山水圖	南宋		臺北故宮博物院
267	緙絲花鳥圖	南宋		臺北故宮博物院
268	緙絲青碧山水圖	南宋		故宮博物院
268	緙絲梅花寒鵲圖	南宋		故宮博物院
269	緙絲趙佶花鳥圖	南宋		故宮博物院
269	緙絲蓮塘乳鴨圖	南宋		上海博物館
270	緙絲牡丹圖	南宋		遼寧省博物館
270	緙絲茶花圖	南宋		遼寧省博物館
271	緙絲紫鸞鵲包首	宋		遼寧省博物館
272	緙絲仙山樓閣圖	宋		臺北故宮博物院
273	鷺鳥紋蠟染裙	宋	貴州平壩縣棺材洞	貴州省博物館
273	孔雀紋刺繡	宋	新疆巴楚縣脱庫孜薩來遺址	新疆維吾爾自治區博物館
274	納石失辮綫袍	蒙古汗國	內蒙古達爾罕茂明安聯合旗大蘇吉鄉明水村	內蒙古博物院
274	方格團窠對獅織金錦	蒙古汗國	內蒙古達爾罕茂明安聯合旗大蘇吉鄉明水村	內蒙古博物院
275	魚龍紋妝金絹	蒙古汗國	內蒙古達爾罕茂明安聯合旗大蘇吉鄉明水村	內蒙古文物考古研究所
275	雙鸚鵡銜花錦風帽	蒙古汗國	內蒙古達爾罕茂明安聯合旗大蘇吉鄉明水村	內蒙古博物院
276	緙絲靴套	蒙古汗國	內蒙古達爾罕茂明安聯合旗大蘇吉鄉明水村	中國絲綢博物館
277	异樣文錦	蒙古汗國	內蒙古達爾罕茂明安聯合旗大蘇吉鄉明水村	內蒙古文物考古研究所
277	黃地方搭花鳥妝花羅	蒙古汗國	內蒙古達爾罕茂明安聯合旗大蘇吉鄉明水村	內蒙古文物考古研究所
278	纏枝菊花飛鶴花綾	蒙古汗國	內蒙古達爾罕茂明安聯合旗大蘇吉鄉明水村	內蒙古文物考古研究所
278	如意窠花卉紋錦	蒙古汗國		美國私人處

頁碼	名稱	時代	出土發現地	收藏地
279	綠地鶻捕雁紋妝金絹	蒙古汗國		私人處
279	刺綉團花百合	蒙古汗國	內蒙古鑲黃旗哈沙圖	內蒙古文物考古研究所
280	織錦屏風	蒙古汗國		私人處

元（公元一二七一年至公元一三六八年）

頁碼	名稱	時代	出土發現地	收藏地
281	纏枝牡丹紋緞	元	江蘇無錫市錢裕墓	江蘇省無錫市博物館
281	"卍"字紋綢對襟短綿襦	元	江蘇蘇州市張士誠母曹氏墓	江蘇省蘇州博物館
281	八寶雲紋綢對襟短綿襦	元	江蘇蘇州市張士誠母曹氏墓	江蘇省蘇州博物館
282	雲龍八寶紋緞裙面料	元	江蘇蘇州市張士誠母曹氏墓	江蘇省蘇州博物館
282	鳳穿牡丹紋綢裙面料	元	江蘇蘇州市張士誠母曹氏墓	江蘇省蘇州博物館
283	駝色織成綾福壽巾	元	山東鄒城市李裕庵墓	山東省鄒城市博物館
283	刺綉山水人物紋赭綢裙帶	元	山東鄒城市李裕庵墓	山東省鄒城市博物館
284	菱格地團花織金錦	元	甘肅漳縣汪氏家族墓	甘肅省博物館
284	棕色馬尾環編菱形紋面罩	元	河北隆化縣鴿子洞元代窖藏	河北省隆化縣博物館
285	藍地灰綠方菱格"卍"字龍紋花綾對襟夾衫	元	河北隆化縣鴿子洞元代窖藏	河北省隆化縣博物館
286	藍綠地黃色龜背朵花綾對襟夾襖	元	河北隆化縣鴿子洞元代窖藏	河北省隆化縣博物館
287	茶綠絹綉花尖翹頭女鞋	元	河北隆化縣鴿子洞元代窖藏	河北省隆化縣博物館
287	綠暗花綾彩綉花卉護膝	元	河北隆化縣鴿子洞元代窖藏	河北省隆化縣博物館
288	褐色地鸞鳳串枝牡丹蓮花紋錦被	元	河北隆化縣鴿子洞元代窖藏	河北省隆化縣博物館
290	黃色雲紋暗花緞	元	河北隆化縣鴿子洞元代窖藏	河北省隆化縣博物館
290	白綾地彩綉花蝶鏡衣	元	河北隆化縣鴿子洞元代窖藏	河北省隆化縣博物館
290	明黃綾彩綉折枝梅葫蘆形針扎	元	河北隆化縣鴿子洞元代窖藏	河北省隆化縣博物館
291	彩綉朵花圓形挂飾	元	河北隆化縣鴿子洞元代窖藏	河北省隆化縣博物館
291	絲織物綴連球路紋鬥彩	元	河北隆化縣鴿子洞元代窖藏	河北省隆化縣博物館
292	白綾地彩綉鳥獸蝴蝶牡丹枕頂	元	河北隆化縣鴿子洞元代窖藏	河北省隆化縣博物館
293	鬥彩綢片	元	河北隆化縣鴿子洞元代窖藏	河北省隆化縣博物館
293	紅色靈芝連雲紋綾	元	河北隆化縣鴿子洞元代窖藏	河北省隆化縣博物館
294	湖色綾地彩綉嬰戲蓮紋腰帶	元	河北隆化縣鴿子洞元代窖藏	河北省隆化縣博物館

頁碼	名稱	時代	出土發現地	收藏地
295	印金半袖夾衫	元	內蒙古察哈爾右翼前旗元代集寧路古城遺址	內蒙古博物院
295	龜背地格力芬團窠錦被	元	內蒙古察哈爾右翼前旗元代集寧路古城遺址	內蒙古博物院
296	棕色羅刺繡滿池嬌夾衫	元	內蒙古察哈爾右翼前旗元代集寧路古城遺址	內蒙古博物院
298	刺繡蓮塘雙鴨	元	內蒙古額濟納旗黑水城遺址	內蒙古博物院
298	緙絲紫鵝戲蓮花	元	北京西城區雙塔慶壽寺	首都博物館
299	貼羅繡僧帽	元	北京西城區雙塔慶壽寺	首都博物館
299	獅首紋織金錦風帽面料	元		私人處
300	菱紋地四瓣團花紋織金錦姑姑冠	元		內蒙古自治區蒙元文化博物館
300	菱地飛鳥紋綾海青衣	元		英國私人處
301	織金錦辮綫袍	元		英國私人處
301	緙絲玉兔雲肩	元		英國私人處
302	纏枝牡丹綾地妝金鷹兔胸背袍	元		內蒙古自治區蒙元文化博物館
303	緙絲花鳥紋袍	元		英國私人處
303	滴珠花卉織金錦	元		中國絲綢博物館
304	纏枝花卉錦	元		私人處
304	對格力芬團窠紋錦	元		美國紐約大都會博物館
305	八達暈織金錦	元		英國私人處
306	團龍紋織金絹	元		美國紐約大都會博物館
306	核桃形雲鳳紋織金絹	元		英國私人處
307	對龍對鳳兩色綾	元		香港私人處
307	刺繡佛袈裟	元		山西博物院
308	織成儀鳳圖	元		遼寧省博物館
310	松鹿紋鬥彩	元		香港私人處
311	花叢飛雁刺繡護膝	元		私人處
311	刺繡密集金剛像	元		西藏自治區拉薩市布達拉宮
312	褐色羅地繡人物花鳥紋抹胸	元		故宮博物院
312	管仲姬款觀音像	元		南京博物院
313	黃緞地刺繡妙法蓮華經第五卷	元		首都博物館
314	刺繡雙鳳穿花紋華蓋	元.		私人處
314	鸞鳳穿花紋繡	元		美國紐約大都會博物館
315	動物花鳥紋刺繡	元		美國紐約大都會博物館

頁碼	名稱	時代	出土發現地	收藏地
316	緙絲大威德曼荼羅	元		美國紐約大都會博物館
318	緙絲宇宙曼荼羅	元		美國紐約大都會博物館
319	緙絲雁兔花樹	元		私人處
319	緙絲蓮塘荷花圖	元		英國私人處
321	緙絲花間行龍圖	元		臺北故宮博物院
321	緙絲蓮塘雙鴨圖	元		美國紐約大都會博物館
321	緙絲不動明王像	元		西藏自治區拉薩市布達拉宮
322	緙絲鳳穿牡丹花圖	元		私人處
323	緙絲百花輦蟒圖	元		美國紐約大都會博物館
323	緙絲花卉	元	新疆烏魯木齊市鹽湖	新疆維吾爾自治區博物館
324	緙絲龍虎白鹿條紋織成衣料	元		美國克里夫蘭博物館

明（公元一三六八年至公元一六四四年）

頁碼	名稱	時代	出土發現地	收藏地
325	團龍補	明	北京昌平區定陵	北京市定陵博物館
325	龍袍方補	明	北京昌平區定陵	北京市定陵博物館
326	綉百子暗花羅方領女夾衣	明	北京昌平區定陵	北京市定陵博物館
327	萬曆皇帝緙絲十二章袞服	明	北京昌平區定陵	北京市定陵博物館
327	綉"洪福齊天"補織金妝花紗女夾衣圓補	明	北京昌平區定陵	北京市定陵博物館
328	綉"壽"補織金妝花紗女夾衣	明	北京昌平區定陵	北京市定陵博物館
329	織金妝花緞立領女夾衣	明	北京昌平區定陵	北京市定陵博物館
329	織金羅裙	明	北京昌平區定陵	北京市定陵博物館
330	紅素羅綉龍火二章蔽膝	明	北京昌平區定陵	北京市定陵博物館
330	織金妝花柿蒂龍襴緞龍袍料	明	北京昌平區定陵	北京市定陵博物館
331	串枝蓮花緞	明	北京昌平區定陵	北京市定陵博物館
331	織金團壽靈芝緞	明	北京昌平區定陵	北京市定陵博物館
332	鬆竹梅歲寒三友緞	明	北京昌平區定陵	北京市定陵博物館
332	鸚哥綠織金龍雲肩妝花緞袍料	明	北京昌平區定陵	北京市定陵博物館
333	織金妝花奔兔紋紗	明	北京昌平區定陵	北京市定陵博物館

頁碼	名稱	時代	出土發現地	收藏地
334	壓金彩綉雲霞翟紋霞帔	明	江西南昌市華東交通大學校園 寧靖王夫人吳氏墓	江西省文物考古研究所
335	瓔珞雲肩織金妝花緞上衣	明	江西南昌市華東交通大學校園 寧靖王夫人吳氏墓	江西省文物考古研究所
336	折枝團花紋緞地夾襖	明	江西南昌市華東交通大學校園 寧靖王夫人吳氏墓	江西省文物考古研究所
336	折枝團花紋緞裙	明	江西南昌市華東交通大學校園 寧靖王夫人吳氏墓	江西省文物考古研究所
337	八寶團鳳雲膝襴裙	明	江西南昌市華東交通大學校園 寧靖王夫人吳氏墓	江西省文物考古研究所
338	天華纏枝蓮花緞被	明	江西南昌市華東交通大學校園 寧靖王夫人吳氏墓	江西省文物考古研究所
339	龜背團花重錦褥	明	江西南昌市華東交通大學校園 寧靖王夫人吳氏墓	江西省文物考古研究所
340	雜寶細花紋暗花緞	明	江西南昌市華東交通大學校園 寧靖王夫人吳氏墓	江西省文物考古研究所
340	刺綉團花被套	明	江西南昌市華東交通大學校園 寧靖王夫人吳氏墓	江西省文物考古研究所
342	駝色暗花緞織金鹿紋胸背棉襖	明	北京豐臺區長辛店朱家墳	首都博物館
343	駝色暗花緞織金團鳳胸背女上衣	明	北京豐臺區長辛店朱家墳	首都博物館
344	柿蒂窠過肩蟒妝花羅袍	明	北京豐臺區南苑葦子坑	首都博物館
345	平金龍紋藍羅袍	明	山東曲阜市孔府舊藏	山東省博物館
346	綉雙鳳補赭紅緞長袍	明	山東曲阜市孔府舊藏	山東省博物館
347	金地緙絲蟒鳳白花袍	明		北京藝術博物館
348	納綉五彩雲龍上衣	明		北京藝術博物館
348	千佛袈裟	明		香港私人處
349	綠地雲蟒紋妝花緞織成裀料	明		故宮博物院
350	灑綫綉百花攢龍紋披肩袍料	明		故宮博物院
351	紅織金雲蟒紋妝花緞織成帳料	明		北京藝術博物館
352	金地緙絲燈籠仕女袍料	明		北京藝術博物館
353	黃色鳳鶴樗蒲紋緞簾	明	北京西城區德勝門外冰窖口	首都博物館
353	綠地仙人祝壽圖妝花緞	明		故宮博物院
354	綠地飛鳳天馬紋妝花緞	明		故宮博物院
354	紅地魚藻紋妝花緞	明		故宮博物院

頁碼	名稱	時代	出土發現地	收藏地
355	紅地纏枝牡丹蓮菊紋妝花緞	明		故宮博物院
355	鯉魚戲水落花紋織金緞	明		故宮博物院
356	白地雲龍紋織金緞	明		故宮博物院
356	青地梅鵲紋雙層織物	明		故宮博物院
357	藍地福壽雙魚紋雙層織物經皮	明		故宮博物院
357	雪青地八寶紋雙層織物	明		故宮博物院
358	白地曲水纏枝蓮紋雙層織物	明		故宮博物院
358	黃地兔銜花紋妝花紗	明		故宮博物院
359	紅地奔虎五毒紋妝花紗	明		故宮博物院
359	黃地鳳鶴紋妝花紗經皮	明		故宮博物院
360	紅地鳳穿牡丹紋織金羅經皮	明		故宮博物院
360	綠地四合如意雲織金羅	明		北京藝術博物館
361	烟色地纏枝牡丹蓮花雙色綢	明		北京藝術博物館
361	絳色地雲鶴紋暗花綢	明		故宮博物院
362	灰綠地平安萬壽葫蘆形燈籠潞綢	明		北京藝術博物館
362	醬色地壽字紋潞綢	明		北京藝術博物館
363	艾虎五毒回回錦	明		英國私人處
364	織錦中秋節令玉兔喜鵲紋補子	明		私人處
364	織錦鬥牛紋補子	明		私人處
365	綠地花果紋夾纈綢	明		故宮博物院
365	青地纏枝四季花印花布	明		中國國家博物館
366	緙金地龍紋壽字裱片	明		故宮博物院
366	緙絲孔雀補雲肩	明		英國私人處
367	金地緙絲鷺鳳牡丹紋團補	明		清華大學美術學院
367	緙絲鷺鷥紋補子	明		香港私人處
368	緙絲仕女人物紋壁飾	明		首都博物館
368	緙絲花卉圖	明		故宮博物院
370	緙絲花卉圖	明		故宮博物院
371	緙絲山茶雙鳥圖	明		臺北故宮博物院
371	緙絲桃花雙鳥圖	明		臺北故宮博物院
372	緙絲桃花雙雀圖	明		臺北故宮博物院
372	緙絲芙蓉雙雁圖	明		臺北故宮博物院
373	緙絲牡丹綬帶圖	明		遼寧省博物館
373	緙絲歲朝花鳥圖	明		臺北故宮博物院

頁碼	名稱	時代	出土發現地	收藏地
374	緙絲仙桃圖	明		臺北故宮博物院
374	緙絲花鳥圖	明		臺北故宮博物院
375	緙絲鳳雲圖	明		
375	緙絲佛像	明		南京博物院
376	緙絲東方朔偷桃圖	明		故宮博物院
376	緙絲八仙拱壽圖	明		故宮博物院
377	緙絲仙山樓閣圖	明		故宮博物院
377	緙絲仇英水閣鳴琴圖	明		遼寧省博物館
378	顧繡韓希孟刺繡花鳥圖	明		遼寧省博物館
379	顧繡韓希孟花鳥圖	明		上海博物館
380	顧繡韓希孟宋元名迹	明		故宮博物院
381	顧繡董題韓希孟阿彌陀佛圖	明		遼寧省博物館
381	衣綫繡荷花鴛鴦圖	明		故宮博物院
382	衣綫繡芙蓉雙鴨圖	明		故宮博物院
382	刺繡梅竹山禽圖	明		臺北故宮博物院
383	灑綫繡雲龍紋雲肩	明		故宮博物院
383	納繡過肩雲龍"喜相逢"	明		私人處
384	灑綫繡绿地五彩仕女鞦韆圖	明		故宮博物院
384	灑綫繡鵲橋相會圖	明		故宮博物院
385	刺繡元宵節令燈籠景補子	明		私人處
385	刺繡天鹿紋補子	明		私人處
386	衣綫繡獬豸紋補子	明		私人處
386	灑綫繡龍紋方補子	明		私人處
387	納繡天鹿紋補子	明		故宮博物院
387	納繡麒麟紋補子	明		北京藝術博物館
388	刺繡西方廣目天王像	明		中國國家博物館
388	刺繡大威德怖畏金剛像	明		西藏自治區拉薩市布達拉宮
389	刺繡喜金剛像	明		西藏自治區羅布林卡
390	刺繡大威德怖畏金剛像	明		美國紐約大都會博物館
391	貼綾繡大白傘蓋佛母像	明		西藏自治區拉薩市布達拉宮
391	紅地龜背團龍鳳紋織金錦佛衣披肩	明		故宮博物院

清（公元一六四四年至公元一九一一年）

頁碼	名稱	時代	出土發現地	收藏地
392	黃緞織彩雲金龍紋皮朝袍	清		故宮博物院
392	石青紗彩雲金龍紋單朝袍	清		故宮博物院
393	緞織彩雲金龍紋夾朝袍	清		故宮博物院
393	緙絲彩雲金龍紋單朝袍	清		故宮博物院
394	明黃紗綉彩雲金龍紋朝袍	清		故宮博物院
394	明黃紗綉四團金龍紋夾褂	清		故宮博物院
395	石青緞四團緝珠雲龍紋皮褂	清		故宮博物院
396	藍緞織金子孫龍紋龍袍	清		首都博物館
396	明黃緞綉彩雲金龍紋龍袍	清		北京藝術博物館
397	緙金"卍"字龍紋龍袍	清		首都博物館
397	藍色江綢平金銀夾龍袍	清		故宮博物院
398	黃紗雙面綉彩雲金龍紋單龍袍	清		故宮博物院
399	絳色緞綉彩雲龍紋龍袍	清		首都博物館
399	緙絲明黃地八寶雲龍紋吉服袍料	清		故宮博物院
400	緙絲藍地百壽蟒紋吉服袍料	清		故宮博物院
400	緙絲明黃地雲龍紋吉服褂料	清		故宮博物院
401	金地綉五彩雲龍紋袍料	清		故宮博物院
401	緙絲明黃地雲龍萬壽紋吉服袍料	清		故宮博物院
402	石青緞綉彩雲藍龍紋綿甲	清		故宮博物院
402	乾隆皇帝甲冑	清		故宮博物院
403	棕色緞織彩雲金龍紋女夾朝袍	清		故宮博物院
403	明黃緙絲彩雲金龍紋綿女朝袍	清		故宮博物院
404	石青緞織彩雲金龍紋夾朝褂	清		故宮博物院
404	石青緞綉彩雲金龍紋夾朝褂	清		故宮博物院
405	紅紗滿納回紋地綉彩雲金龍紋夾褂	清		故宮博物院
406	醬色緞織八團喜相逢夾褂	清		故宮博物院
406	石青緞織八團藍龍金壽字錦褂	清		故宮博物院
407	石青緙絲八團燈籠紋綿褂	清		故宮博物院
408	石青緞綉串米珠八團龍褂	清		故宮博物院

頁碼	名稱	時代	出土發現地	收藏地
408	綠緞繡花卉紋綿袍	清		故宮博物院
409	粉紫紗綴繡八團夔龍紋單袍	清		故宮博物院
410	紅緞繡八團夔鳳花卉紋便服袍料	清		故宮博物院
410	藍紗納繡花卉紋單氅衣	清		故宮博物院
411	淺雪青緞繡水仙壽字氅衣	清		故宮博物院
411	明黃緞繡蘭桂齊芳紋夾氅衣	清		故宮博物院
412	青蓮紗繡折枝花蝶大鑲邊女氅衣	清		清華大學美術學院
412	寶藍地金銀綫繡整枝荷花大鑲邊女氅衣	清		中國國家博物館
413	淺駝色直经紗彩繡牡丹紋女單袍	清		瀋陽故宮博物院
413	青地折枝花蝶妝花緞女帔	清		故宮博物院
414	刺繡戲裝宮衣	清		清華大學美術學院
414	玄青緞雲肩對襟大鑲邊女棉褂	清		清華大學美術學院
415	天青紗大鑲邊右衽女夾衫	清		中國國家博物館
415	湖色綢繡海棠水草金魚紋氅衣料	清		故宮博物院
416	明黃緞繡彩葡萄蝴蝶紋氅衣料	清		故宮博物院
416	雪青地富貴萬年紋妝花緞氅衣料	清		故宮博物院
417	雪灰綢繡五彩博古紋對襟緊身料	清		故宮博物院
417	紫色漳絨福壽三多紋夾緊身	清		故宮博物院
418	石青緞平金繡雲鶴紋夾掛襴	清		故宮博物院
418	玄青地潮繡金龍對襟女坎肩	清		清華大學美術學院
419	織銀琵琶襟女坎肩	清		中央民族大學民族研究所
419	升平署紅緞織金彩繡女戲衣	清		故宮博物院
420	雪青地三藍繡蝶戀花馬面裙	清		清華大學美術學院
420	黃暗花湖縐刺繡花蝶紋馬面裙	清		中國國家博物館
421	白暗花綢彩繡人物花草紋百褶裙	清		清華大學美術學院
421	深青地白散花印花百褶裙	清		清華大學美術學院
422	黃緞地平金五彩釘綫繡法衣	清		首都博物館
423	道士巫衣	清		私人處
424	如意帽	清		故宮博物院
425	鳳頭靴	清		故宮博物院
425	魚紋鞋	清		故宮博物院
425	鳳頭鞋	清		故宮博物院
426	刺繡龍鳳紋高靿襪	清		故宮博物院
426	刺繡鳳紋高靿襪	清		故宮博物院

頁碼	名稱	時代	出土發現地	收藏地
427	粉紅地雙獅球路紋宋式錦	清		故宮博物院
427	深藍地盤縧朵花紋織金錦	清		故宮博物院
428	紅地折枝玉堂富貴萬壽紋織金錦	清		故宮博物院
428	藍地團龍八寶紋天華錦	清		故宮博物院
429	藍地靈仙祝壽紋錦	清		故宮博物院
429	錦群地三多花卉紋錦	清		故宮博物院
430	黃色地纏枝牡丹紋金地錦	清		故宮博物院
430	淺絳地金銀花紋織金錦	清		故宮博物院
431	藍地燈籠紋錦	清		故宮博物院
431	黃地折枝牡丹花紋錦	清		故宮博物院
432	蝴蝶富貴穿枝芙蓉妝錦	清		清華大學美術學院
432	纏枝富貴福壽紋芙蓉妝錦	清		故宮博物院
433	彩色地富貴三多紋蜀錦	清		故宮博物院
433	深棕色地織彩幾何朵花紋壯錦	清		故宮博物院
434	灰地纏枝花葉紋回回錦	清		故宮博物院
434	明黃地纏枝大洋花紋妝花緞	清		故宮博物院
435	果綠地牡丹蓮三多紋妝花緞	清		故宮博物院
435	朵雲團蟒妝花緞	清		故宮博物院
436	寶藍地蘭蝶紋妝花緞	清		故宮博物院
436	品藍地青折枝梅蝶紋二色緞	清		故宮博物院
437	鬥鷄紋廣緞	清		故宮博物院
437	綠地五彩串枝牡丹紋漳緞	清		故宮博物院
438	黃地纏枝菊妝花絨織成墊料	清		故宮博物院
438	五彩天鵝絨	清		
439	黃地五彩織金妝花天鵝絨	清		
439	寶藍地水仙花紋縧	清		瀋陽故宮博物院
440	描金宮絹	清		故宮博物院
440	棉布	清		
441	綠地幾何紋和田綢	清		故宮博物院
441	彩織花樹紋和田綢	清		故宮博物院
442	彩織樹紋瑪什魯布	清		故宮博物院
442	彩織豎條菱形紋瑪什魯布	清		故宮博物院
443	布依族蠟染花邊	清		中央民族大學民族研究所
443	蒙古族橘紅織錦緞女棉袍	清	內蒙古新巴爾虎左旗	中央民族大學民族研究所

頁碼	名稱	時代	出土發現地	收藏地
444	蒙古族棕黃織錦女對襟長坎肩	清		中央民族大學民族研究所
444	哈薩克族彩綉服裝	清		中國國家博物館
445	達斡爾族綉花烟荷包	清		中國國家博物館
445	布依族女套裝	清		中央民族大學民族研究所
446	黎族織花筒裙	清		清華大學美術學院
446	黎族刺綉龍被	清		中央民族大學民族研究所
447	黎族刺綉慶豐收紋女上衣	清		中央民族大學民族研究所
448	苗族蠟染刺綉女衣	清		清華大學美術學院
448	傣族翹尖綉花鞋	清	雲南勐海縣	中央民族大學民族研究所
449	傣族女套裝	清	雲南勐海縣	中央民族大學民族研究所
449	緙絲佛像	清		南京博物院
450	緙絲加綉觀音像	清		故宮博物院
450	緙絲四臂觀音像	清		西藏自治區拉薩市布達拉宮
451	緙絲仕女圖	清		故宮博物院
451	緙絲仙舟仕女圖	清		故宮博物院
452	緙絲海屋添籌圖	清		故宮博物院
452	緙絲周文王發粟圖	清		故宮博物院
453	緙絲天官像	清		遼寧省博物館
453	緙絲加綉三星圖	清		故宮博物院
454	緙絲加繪麻姑獻壽圖	清		清華大學美術學院
454	緙絲加綉九陽消寒圖	清		故宮博物院
455	緙絲瑤池吉慶圖	清		北京藝術博物館
455	緙絲沈周蟠桃仙圖	清		臺北故宮博物院
456	紅地緙絲百子圖帳料	清		北京藝術博物館
456	緙絲耕織圖	清		故宮博物院
457	緙絲歲朝圖	清		故宮博物院
457	緙絲鷺立蘆汀圖	清		故宮博物院
458	緙絲梅花雙禽圖	清		故宮博物院
458	緙絲白頭翁海棠圖	清		故宮博物院
459	緙絲秋桃綬帶圖	清		故宮博物院
459	緙絲梅禽圖	清		瀋陽故宮博物院
460	緙絲錦雞牡丹圖	清		故宮博物院
460	緙絲毛九安同居挂屏	清		故宮博物院
461	刺綉仙鶴壽桃圖	清		臺北故宮博物院

頁碼	名稱	時代	出土發現地	收藏地
461	緙絲毛石榴紋挂屏	清		私人處
462	緙絲花卉圖	清		南京博物院
462	緙絲花卉圖	清		南京博物院
463	緙絲荷花圖	清		臺北故宮博物院
463	金地緙絲壽仙圖椅披	清		北京藝術博物館
464	緙絲鳳凰牡丹圖	清		北京藝術博物館
464	紅地緙絲雲蟒紋帳料	清		北京藝術博物館
465	緙絲金山全圖	清		故宮博物院
465	緙絲山水人物圖	清		故宮博物院
466	緙絲印心石屋山水圖	清		南京博物院
466	緙絲仇英后赤壁賦圖	清		故宮博物院
467	緙絲山水圖	清		臺北故宮博物院
468	緙絲渾儀博古圖	清		遼寧省博物館
468	緙絲金士松書御詩	清		南京博物院
469	緙絲壽字	清		臺北故宮博物院
469	緙絲雲鶴望日補子	清		故宮博物院
470	緙絲麒麟紋補子	清		瀋陽故宮博物院
470	緙絲獅子紋補子	清		美國私人處
471	蘇綉先春四喜圖	清		臺北故宮博物院
471	蘇綉加官圖	清		北京藝術博物館
472	蘇綉玉堂富貴圖	清		北京藝術博物館
472	蘇綉雙面綉五倫圖	清		北京藝術博物館
473	蘇綉夔龍鳳牡丹紋墊面	清		北京藝術博物館
474	顧綉獵鷹圖	清		故宮博物院
474	顧綉綉球海棠圖	清		故宮博物院
475	廣綉百鳥爭鳴圖	清		故宮博物院
476	廣綉三羊開泰圖	清		故宮博物院
477	廣綉飛泉挂碧峰圖	清		故宮博物院
477	潮綉"暹羅社"人物故事過廳彩	清		廣東省博物館
478	潮綉人物花鳥案眉	清		廣東省博物館
478	堆綾綉尊勝佛母像	清		故宮博物院
479	堆綾綉唐明皇楊貴妃戲像	清		故宮博物院
480	魯綉花鳥紋門簾	清		故宮博物院
480	刺綉關羽像	清		故宮博物院

頁碼	名稱	時代	出土發現地	收藏地
481	刺繡十六羅漢像	清		故宮博物院
482	刺繡閬苑長春圖	清		臺北故宮博物院
483	刺繡麻姑像	清		江蘇省南通博物苑
483	刺繡咸池浴日圖	清		臺北故宮博物院
484	刺繡西湖圖	清		臺北故宮博物院
484	刺繡人物團花桌圍	清		南京博物院
485	刺繡米顛拜石圖	清		南京博物院
485	刺繡光緒御筆松鶴圖	清		故宮博物院
486	刺繡八仙紋壽字	清	山東泰安市	故宮博物院
486	紅緞繡百子圖墊料	清		故宮博物院
487	喜相逢雙蝶刺繡團花	清		故宮博物院
487	喜相逢雙鳳刺繡團花	清		故宮博物院
488	刺繡玉堂富貴壽屏	清		故宮博物院
490	明黃緞地彩繡九龍墊面	清		北京藝術博物館
491	刺繡丹鶴朝陽紋補子	清		故宮博物院
492	刺繡雲雁紋補子	清		瀋陽故宮博物院
492	刺繡孔雀紋補子	清		美國耶魯大學藝術館
493	刺繡錦雞紋補子	清		美國耶魯大學藝術館
493	刺繡鷺鳥紋補子	清		美國耶魯大學藝術館
494	刺繡鵪鶉紋補子	清		美國耶魯大學藝術館
494	刺繡芙蓉花卉紋補子	清		故宮博物院
495	趙慧君刺繡金帶圍圖	清		上海博物館
495	薛文華繡紫藤雙雞圖	清		故宮博物院
496	沈壽繡長眉羅漢像	清		南京博物院
496	沈壽繡執杖羅漢像	清		南京博物院
497	沈壽繡柳燕圖	清		故宮博物院
497	沈壽繡美國演員倍克像	清		南京博物院
498	沈壽繡耶穌像	清		南京博物院
499	張淑德繡夕陽返照圖	清		江蘇省南通博物苑
499	李群秀繡奉天牧羊圖	清		江蘇省南通博物苑
500	張華璪繡雄雞圖	清		故宮博物院
500	凌杼繡愛梅圖	清		南京博物院
501	絹地雙面繡花鳥紋團扇	清		故宮博物院
501	綠地納紗繡碧桃蝴蝶紋宮扇	清		故宮博物院

頁碼	名稱	時代	出土發現地	收藏地
502	粘絹花菊花紋團扇	清		中央民族大學民族研究所
502	綠地彩綉石榴紋宮扇	清		故宮博物院
503	藍緞釘金銀刺綉小品	清		瀋陽故宮博物院
504	刺綉檳榔香袋	清		中央民族大學民族研究所
504	刺綉烟荷包	清		中央民族大學民族研究所
505	刺綉桃形香袋	清		中央民族大學民族研究所
505	納紗幾何紋扇套	清		中央民族大學民族研究所
505	刺綉眼鏡盒	清		中央民族大學民族研究所
506	藍緞彩綉鞍墊	清		瀋陽故宮博物院
506	雙面綉富貴壽考圍屏	清		故宮博物院
507	貼花大白傘蓋佛母像	清		西藏自治區羅布林卡
507	漳絨刺繪山水圖	清		故宮博物院
508	漳絨漁樵耕讀圖屏	清		故宮博物院
509	刮絨花鳥圖	清		故宮博物院
510	新疆金綫地花卉栽絨地毯	清		故宮博物院
511	金綫地幾何團花栽絨絲毯	清		故宮博物院
512	彩織極樂世界圖	清		故宮博物院
513	貼花空行母像	清		西藏自治區羅布林卡

514　年　表

[紡織品]

遼北宋西夏金南宋（公元九一六年至公元一二七九年）

尖頂錦帽
回鶻高昌
新疆若羌縣阿拉爾墓葬出土。
高31.5、寬44厘米。
用錦和細氈縫綴在一起，帽面爲藍地鴻雁紋錦，其上縫綴兩條紅色緞帶，帽口爲喇叭狀，緣鑲毛皮，帽頂縫錐形飾。
現藏新疆維吾爾自治區博物館。

孔雀雙羊紋錦袍
回鶻高昌
新疆若羌縣阿拉爾墓葬出土。
袍長128、袖通長197、下擺長88厘米。
交領，右衽，直裾，窄長袖，有中腰，後擺有缺胯，面料爲土黃色錦地顯黃、藍兩色花，主體紋樣是展翅欲飛的孔雀和相對而立的雙羊。
現藏新疆維吾爾自治區博物館。

245

[紡織品]

遼北宋西夏金南宋（公元九一六年至公元一二七九年）

土黃地鶻銜瑞草紋錦
回鶻高昌
新疆若羌縣阿拉爾墓葬出土。
殘高59、寬54厘米。
爲緯二重組織。土黃色地，藍、白二色緯綫顯花。主體紋樣爲規則排列的圓環紋，內填雙鶻鳥銜瑞草圖案，圓環外飾連枝菊花及菱形花紋。
現藏新疆維吾爾自治區博物館。

四葉對鳥紋刺繡
回鶻高昌
新疆若羌縣阿拉爾墓葬出土。
高60、寬60厘米。
中部圖案中飾對鳥、對鹿。
現藏故宮博物院。

246

靈鷲球紋錦袍

回鶻高昌

新疆若羌縣阿拉爾墓葬出土。

袍長134、兩袖通長186、袖口寬15.5、下擺70、后裾69厘米。

交領、右衽，淺褐色地，斜紋緯錦。圖案基調爲藍、白兩色，以相切團窠紋爲圖案框架，團窠紋內飾生命樹兩側相背而立的靈鷲，切點及餘白處填以聯珠四瓣團花紋。此錦袍爲波斯風格織物。

現藏故宮博物院。

靈鷲球紋錦袍局部

[紡織品]

遼北宋西夏金南宋（公元九一六年至公元一二七九年）

折枝花卉印花絹（上圖）
西夏
寧夏賀蘭縣拜寺溝方塔出土。
殘長75、殘寬40厘米。
素絹，上印散點黑色和紅色折枝花。
現藏寧夏回族自治區文物考古研究所。

童子戲花圖印花絹
西夏
寧夏賀蘭縣拜寺口西塔出土。
殘長86.5、寬30厘米。
圖案爲宋、遼流行的童子戲花圖。但印花技術與宋遼工藝不同，應爲西夏當地所產。
現藏寧夏博物館。

【 紡織品 】

緙絲綠度母
西夏
內蒙古額濟納旗黑水城遺址出土。
高101、寬52.2厘米。
綠度母左手持蓮花，半跏趺坐，垂右足。
現藏俄羅斯艾爾米塔什博物館。

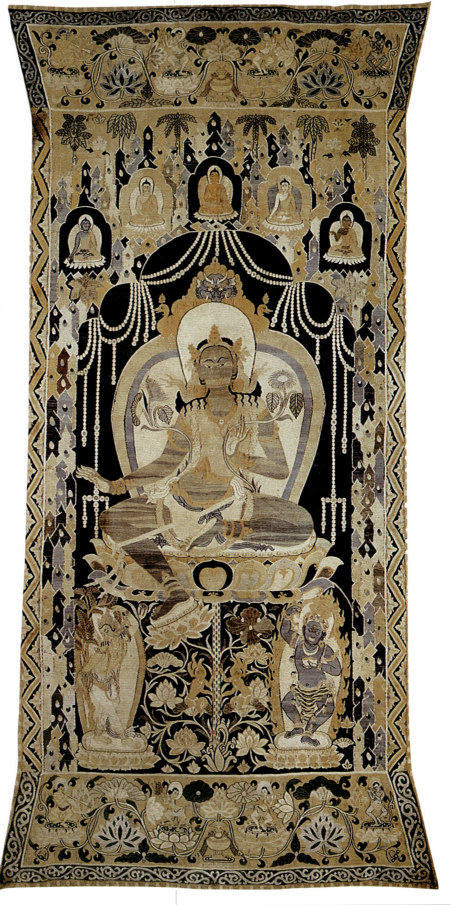

遼北宋西夏金南宋（公元九一六年至公元一二七九年）

[紡織品]

遼北宋西夏金南宋（公元九一六年至公元一二七九年）

刺繡唐卡空行母

西夏

內蒙古額濟納旗黑水城遺址出土。

高56、寬32厘米。

空行母右脚踏于人身上，被火焰圍繞。右手持刀，左手持鉢和細棒。圖右爲比丘，左爲舍利塔。底部爲金鋼杵。

現藏俄羅斯艾爾米塔什博物館。

花珠冠

金

黑龍江哈爾濱市阿城區金齊國王墓出土。

冠高14、內徑17.5厘米，黄彩蝶額帶寬5.3厘米。

冠表以青色羅盤縧小菊花爲地，構成三層覆蓮瓣紋，每層五瓣蓮紋，每瓣蓮紋以絲綫釘穿珍珠飾邊，全冠用珠五百餘顆，珍珠大多已殘朽。冠沿繫藍地黄彩蝶裝花羅額帶，遺有繪金痕迹。冠後有鏤雕二練鵲銜蕾白玉飾。冠後左右兩側各釘綴竹節紋金鈿窠，中穿冠帶下垂爲垂脚。

現藏黑龍江省文物考古研究所。

花珠冠額帶

[紡織品]

遼北宋西夏金南宋（公元九一六年至公元一二七九年）

醬地金錦襴綿袍（上圖）
金
黑龍江哈爾濱市阿城區金齊國王墓出土。
袍通長140、胸寬60、下擺寬77.5厘米。
盤領，窄袖，袍後左開衩。襯裏爲醬色絹，內絮薄絲綿。兩袖通肩和下擺上部飾織金圖案。
現藏黑龍江省文物考古研究所。

醬地金錦襴綿袍（局部）
金
黑龍江哈爾濱市阿城區金齊國王墓出土。
紋樣寬15厘米。
圖案上方爲織金圓珠紋帶，圓珠帶下圖案二組爲一單元，循環排列，圖案似爲帶有伊斯蘭風格的庫菲字體。
現藏黑龍江省文物考古研究所。

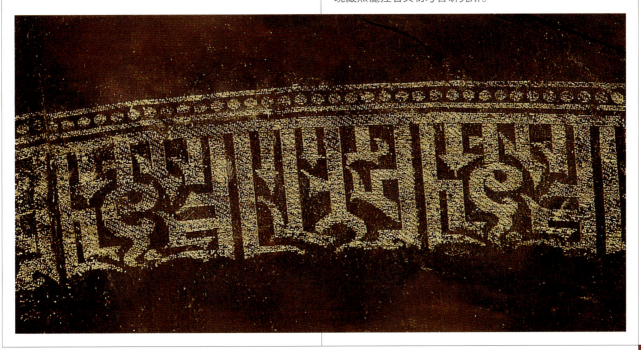

[紡織品]

遼北宋西夏金南宋（公元九一六年至公元一二七九年）

褐地朵梅雙鸞金錦綿裹肚
金
黑龍江哈爾濱市阿城區金齊國王墓出土。
長86.5、上通寬155.6、下通寬112.8厘米。
以褐地朵梅雙鸞紋織金綢爲面，由二塊長方形料拼接而成，上部縫合，下部開口。上部兩端釘駝色絹帶四副。襯裏爲駝色絹，內絮薄絲綿。紋飾以滿地織金朵梅爲襯托，再飾一排排對飛的織金雙鸞。
現藏黑龍江省文物考古研究所。

褐地朵梅雙鸞金錦綿裹肚局部

252

【 紡 織 品 】

黃地小雜花金錦夾襪

金

黑龍江哈爾濱市阿城區金齊國王墓出土。

襪通高33.9、口寬20.3、底長26.5厘米。

襪面爲黃地小雜花金錦，襯爲黃絹。後跟處釘二條絹帶，絹帶由脚背至脚底繞一周，在脚背處繫成大蝴蝶結。

現藏黑龍江省文物考古研究所。

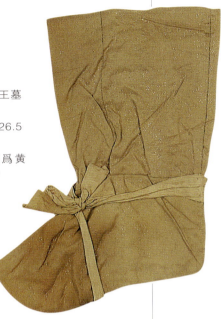

褐地翻鴻金錦綿袍

金

黑龍江哈爾濱市阿城區金齊國王墓出土。

袍通長135.5、胸寬66、下擺寬77.3厘米。

交領、窄袖、左后側開衩。襯裏爲黃絹，内絮薄絲綿。錦面飾織金翻鴻紋樣。

現藏黑龍江省文物考古研究所。

遼北宋西夏金南宋（公元九一六年至公元一二七九年）

253

[紡織品]

牡丹捲草泥金羅腰帶

金

黑龍江哈爾濱市阿城區金齊國王墓出土。
帶長403.6、寬7.1厘米。
用四段黃褐暗花羅拼接縫成,帶兩端用泥金繪花草紋各十組。
現藏黑龍江省文物考古研究所。

牡丹捲草泥金羅腰帶局部

[紡織品]

青色羅垂脚幞頭
金
黑龍江哈爾濱市阿城區金齊國王墓出土。
幞頭高13.4、寬17厘米,垂脚長27、寬4-6.5厘米。
前額正面折疊釘角爲開口三角形褶,背面亦交叉疊角。幞頭耳後左右縫綴鏤雕天鵝銜花玉飾,幞頭垂帶左右交叉穿玉飾,下垂成垂脚。
現藏黑龍江省文物考古研究所。

醬地雲鶴紋金錦綿袍
金
黑龍江哈爾濱市阿城區金齊國王墓出土。
袍長142、兩袖通長224、胸圍88、下擺寬122厘米。
襯裏爲絳色素絹,內絮絲棉。紋飾由織金飛鶴和捲雲構成。
現藏黑龍江省文物考古研究所。

遼北宋西夏金南宋(公元九一六年至公元一二七九年)

255

[紡織品]

遼北宋西夏金南宋（公元九一六年至公元一二七九年）

絳絹綿吊敦

金

黑龍江哈爾濱市阿城區金齊國王墓出土。
通高76.5、上口寬39、底長20厘米。
絳色絹爲面料，襯爲黃絹，內絮薄絲綿。
上口處前高後低，前端釘黃絹繫帶。
現藏黑龍江省文物考古研究所。

折枝梅織金絹裙

金

黑龍江哈爾濱市阿城區金齊國王墓出土。
裙長100、下擺寬127厘米。
裙腰爲素絹，腰後開口，開口處兩端各釘絹帶一條。腰下由兩塊絹拼縫而成。絹中織入片金顯花，圖案爲折枝梅花，橫向成排，上下交錯排列。
現藏黑龍江省文物考古研究所。

[紡織品]

菱紋羅綉團花大口褲
金
黑龍江哈爾濱市阿城區金齊國王墓出土。
褲通長142、褲腿長80、褲腰上部寬111厘米。
以深駝色菱形暗花羅為面料。上部為褲腰，兩側各有絹帶三副，腰下接褲腿，褲脚釘有素絹脚蹬帶。紋飾為刺綉團花，團花上下交錯排列。
現藏黑龍江省文物考古研究所。

菱紋羅綉團花大口褲（局部）
金
黑龍江哈爾濱市阿城區金齊國王墓出土。
團花由兩種花葉紋樣構成，其中以絲綫對綉黃色萱草兩枝，萱草間綉綠色花葉，均以金綫綉邊。
現藏黑龍江省文物考古研究所。

遼北宋西夏金南宋（公元九一六年至公元一二七九年）

257

[紡織品]

遼北宋西夏金南宋（公元九一六年至公元一二七九年）

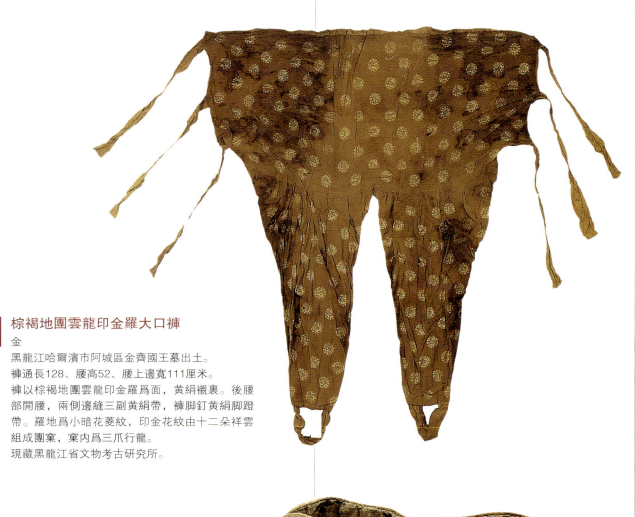

棕褐地團雲龍印金羅大口褲
金
黑龍江哈爾濱市阿城區金齊國王墓出土。
褲通長128、腰高52、腰上邊寬111厘米。
褲以棕褐地團雲龍印金羅爲面，黃絹襯裏。後腰部開腰，兩側邊縫三副黃絹帶，褲脚釘黃絹脚蹬帶。羅地爲小暗花菱紋，印金花紋由十二朵祥雲組成團窠，窠內爲三爪行龍。
現藏黑龍江省文物考古研究所。

羅地綉花鞋
金
黑龍江哈爾濱市阿城區金齊國王墓出土。
長23厘米。
鞋面由駝色羅和綠色羅製成，上綉折枝花卉紋。繞鞋一周鑲嵌一條棕地花紋帶，後跟處有"Ｖ"字形豁口。麻製鞋底，較厚，鞋裏襯米色暗花綾。
現藏黑龍江省文物考古研究所。

258

[紡織品]

遼北宋西夏金南宋（公元九一六年至公元一二七九年）

綠地忍冬雲紋夔龍金錦

金

黑龍江哈爾濱市阿城區金齊國王墓出土。
綠地上織綠色忍冬花蔓紋和橙黃色祥雲紋，織金夔龍紋。
現藏黑龍江省文物考古研究所。

纏枝花鳥紋綾

大理國

雲南大理市崇聖寺三塔主塔塔頂發現。
長59、殘寬38厘米。
是爲异向斜紋綾，織纏枝蓮花與蝴蝶相間圖案。
現藏雲南省博物館。

259

[紡織品]

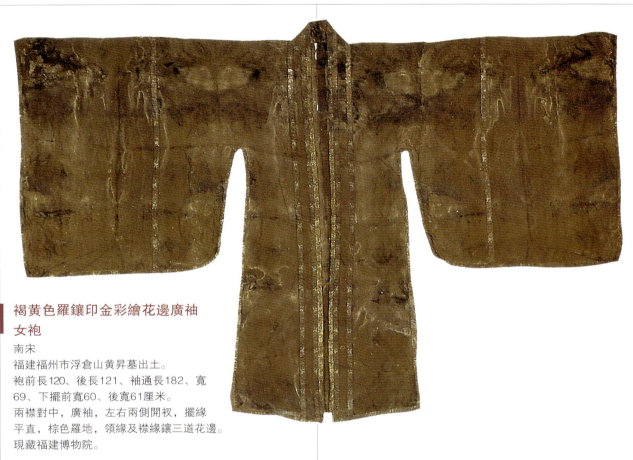

褐黃色羅鑲印金彩繪花邊廣袖女袍
南宋
福建福州市浮倉山黃昇墓出土。
袍前長120、後長121、袖通長182、寬69、下擺前寬60、後寬61厘米。
兩襟對中，廣袖，左右兩側開衩，擺緣平直，棕色羅地，領緣及襟緣鑲三道花邊。
現藏福建博物院。

紫灰皺紗滾邊窄袖女夾衫
南宋
福建福州市浮倉山黃昇墓出土。
衣前長123、後長125、袖通長147、袖口寬28、腰寬53、下擺前寬57、後寬59厘米。
兩襟對中，雙袖平直，腰與下擺等寬，擺緣平。兩側腋下開口至底緣。袖口、襟緣、擺緣均鑲藍地花邊及金色條紋。
現藏福建博物院。

【紡織品】

遼北宋西夏金南宋（公元九一六年至公元一二七九年）

深烟色牡丹花羅背心
南宋
福建福州市浮倉山黃昇墓出土。
衣長70、腰寬44、袖口寬25、下擺前寬39、後寬44.5、擺緣寬1.2、對襟素邊寬7厘米。
對襟，無袖，下擺兩側開衩，褐色羅地上飾牡丹花紋。
現藏福建博物院。

四幅兩片直裙
南宋
福建福州市浮倉山黃昇墓出土。
通長84、腰寬122、下擺寬126、腰高12.7厘米。
上下兩片裙面中間相互交疊，裙面上飾黃褐色花卉紋。
現藏福建博物院。

261

[紡織品]

遼北宋西夏金南宋（公元九一六年至公元一二七九年）

褐色牡丹花羅
南宋
福建福州市浮倉山黃昇墓出土。
長104、幅寬57厘米。
褐色羅地上織出斜紋牡丹花。
現藏福建博物院。

褐色牡丹芙蓉花羅
南宋
福建福州市浮倉山黃昇墓出土。
長102、幅寬59厘米。
褐色羅地上織橫向牡丹等花卉。
現藏福建博物院。

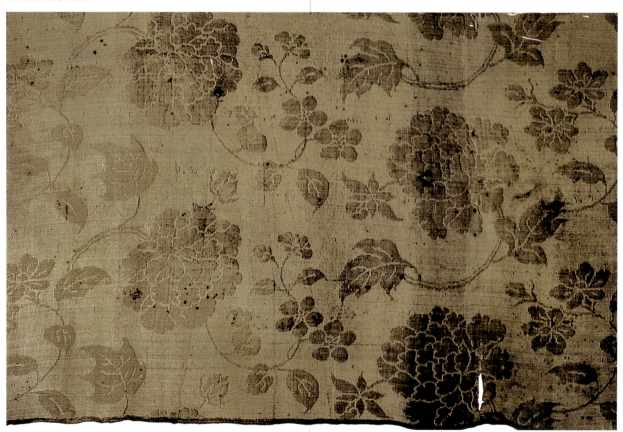

[紡織品]

印金敷彩菊花紋花邊（上圖）
南宋
福建福州市浮倉山黃昇墓出土。
殘長75、寬23厘米。
黃褐色地飾條帶狀金粉印花，葉子上加敷色彩。
現藏福建博物院。

印金彩繪芍藥燈球花邊
南宋
福建福州市浮倉山黃昇墓出土。
長52、寬16厘米。
墨綠地上用金粉漿料印花紋輪廓，然後用毛筆填敷色彩。
現藏福建博物院。

遼北宋西夏金南宋（公元九一六年至公元一二七九年）

263

[紡織品]

遼北宋西夏金南宋（公元九一六年至公元一二七九年）

羅地刺繡蝶戀芍藥花邊（上圖）
南宋
福建福州市浮倉山黃昇墓出土。
長87、寬10厘米。
深褐色羅地飾折枝芍藥，一隻蝴蝶伏于花朵之上。
現藏福建博物院。

褐色羅綉牡丹花荷包
南宋
江西德安縣寶塔鄉出土。
長14、寬11厘米。
褐色，素羅面，夾內絹，綉牡丹花，緣外滾邊。荷包展開呈蝴蝶狀，折叠呈荷花狀。
現藏江西省德安縣博物館。

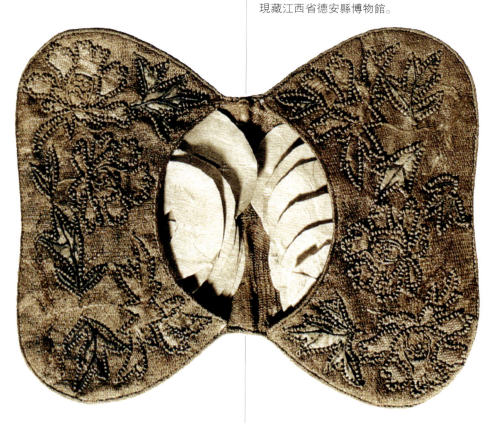

264

[紡織品]

遼北宋西夏金南宋（公元九一六年至公元一二七九年）

貼綉牡丹素羅荷包（上圖）
南宋
江蘇金壇市周瑀墓出土。
長14.5、寬12厘米。
荷包展開呈蝴蝶狀。深褐色羅紋地，中腰處開口，開口上下用貼綉工藝裝飾牡丹花葉紋。
現藏江蘇省鎮江博物館。

星地折枝花絞綾單裙
南宋
江西德安縣寶塔鄉出土。
裙長89、腰高16、腰寬14.6厘米。
黄褐色，色澤華麗。裙腰為絹質，有繫帶兩根，無襯。
現藏江西省德安縣博物館。

265

[紡織品]

遼北宋西夏金南宋（公元九一六年至公元一二七九年）

刺綉秋葵蛺蝶圖
南宋
高23.5、寬25.2厘米。
素色紗地，綉蝶戲秋葵圖案。
現藏臺北故宮博物院。

彩綉瑤臺跨鶴圖
南宋
高25.4、寬27.4厘米。
紈扇形。絹地，彩綉。畫面右側爲一高臺，直聳雲端，臺上兩人執幢迎風而立；左側爲一駕鶴仙人，身披飄帶。
現藏遼寧省博物館。

[紡織品]

緙絲花鳥圖
南宋
高95.7、寬38厘米。
本色地，緙織出雙鳥栖于枝上之圖景。右下緙織"子蕃墨書"印。
現藏臺北故宮博物院。

緙絲山水圖
南宋
高83.5、寬35.8厘米。
本色地，采用多種緙絲技法，并輔以墨繪。右下緙織"子蕃"款印。
現藏臺北故宮博物院。

遼北宋西夏金南宋（公元九一六年至公元一二七九年）

267

[紡織品]

緙絲梅花寒鵲圖
南宋
高89、寬35.5厘米。
用多種技法緙織成雙鵲栖梅圖。畫幅左下方緙有"子蕃製"和"沈氏"印。
現藏故宮博物院。

緙絲青碧山水圖
南宋
高88.4、寬37厘米。
白地，緙織青碧山水圖案。畫幅左下方織"子蕃製"、"沈孳"款印。
現藏故宮博物院。

[紡織品]

遼北宋西夏金南宋（公元九一六年至公元一二七九年）

緙絲趙佶花鳥圖
南宋
高24.5、寬25.5厘米。
采用趙佶畫稿，運用多種技法緙織出翠鳥花卉紋。鳥身爲淺藍、月白和棕色。花葉爲果綠、香黃二色。
現藏故宮博物院。

緙絲蓮塘乳鴨圖
南宋
高107.5、寬108.8厘米。
白地，緙織出一幅生機盎然的荷塘景色：岸邊白鷺成雙，水中乳鴨對游，蓮蓬上有蜻蜓佇立，空中雲雀飛翔。湖石上緙有朱書"江東朱剛製蓮塘乳鴨圖"隸書銘文兩行，下緙"朱克柔"三字章。
現藏上海博物館。

269

【 紡織品 】

遼北宋西夏金南宋（公元九一六年至公元一二七九年）

緙絲牡丹圖
南宋
高23.1、寬23.8厘米。
靛藍色絲地，緙織一朵盛開的牡丹及"朱克柔印"朱章。
現藏遼寧省博物館。

緙絲茶花圖
南宋
高26、寬25厘米。
深藍色地，緙織一株紅色山茶花，一隻蝴蝶正向花枝飛來。幅左下角緙"朱克柔印"朱章。
現藏遼寧省博物館。

[紡織品]

緙絲紫鸞鵲包首
宋
高27.9、寬18.7厘米。

紫地，主體圖案爲一回首鸞鵲，口銜靈芝，四周緙織花卉紋樣。
現藏遼寧省博物館。

遼北宋西夏金南宋（公元九一六年至公元一二七九年）

[紡織品]

遼北宋西夏金南宋（公元九一六年至公元一二七九年）

緙絲仙山樓閣圖
宋
高28.1、寬35.7厘米。
棕色地，圖案正中緙織出一山石環繞的雙層樓閣，樓中人物衆多。
現藏臺北故宮博物院。

[紡織品]

鷺鳥紋蠟染裙
宋

貴州平壩縣棺材洞出土。
長62.5厘米。
束腰，上接白麻布圍腰，裙幅寬大，爲百褶式。此裙集彩色蠟染、刺繡、挑花等工藝于一體，以藍、棕、黃、白爲基本色調，以銅鼓上常見的翔鷺爲主體紋飾，是研究彩色蠟染發展的珍貴資料。
現藏貴州省博物館。

孔雀紋刺繡
宋

新疆巴楚縣脱庫孜薩來遺址出土。
長25、寬9厘米。
形似梳袋。淺棕色地，以黃、白、藍等色綫繡相對的孔雀紋，以誇張變形的手法表現孔雀尾部。
現藏新疆維吾爾自治區博物館。

遼北宋西夏金南宋（公元九一六年至公元一二七九年）

【 紡織品 】

遼北宋西夏金南宋（公元九一六年至公元一二七九年）

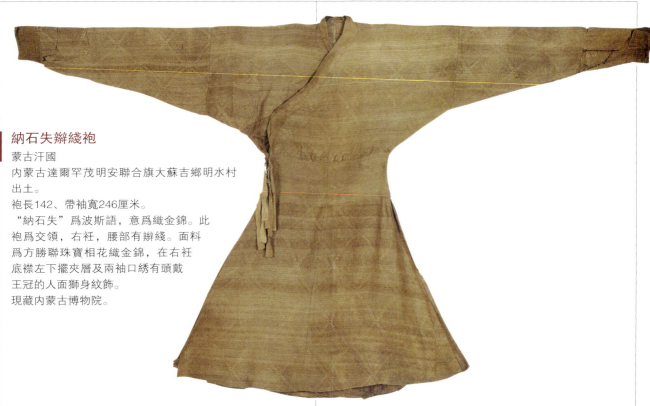

納石失辮綫袍

蒙古汗國

内蒙古達爾罕茂明安聯合旗大蘇吉鄉明水村出土。

袍長142、帶袖寬246厘米。

"納石失"爲波斯語，意爲織金錦。此袍爲交領，右衽，腰部有辮綫。面料爲方勝聯珠寶相花織金錦，在右衽底襟左下擺夾層及兩袖口綉有頭戴王冠的人面獅身紋飾。

現藏内蒙古博物院。

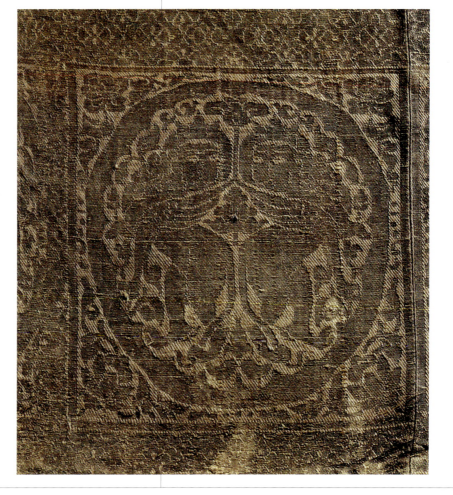

方格團窠對獅織金錦

蒙古汗國

内蒙古達爾罕茂明安聯合旗大蘇吉鄉明水村出土。

長32、寬37.5厘米。

爲"納石失辮綫袍"的内襟局部。有緯綫兩組。一組爲捻金綫，另一組爲黄色絨絲，用于鈎邊。圖案主體爲四瓣小花連成的方格，中間是二十二瓣的瓣窠，窠中一對翼獅造型生動。窠外四角有蓮花裝飾。

現藏内蒙古博物院。

[紡織品]

遼北宋西夏金南宋（公元九一六年至公元一二七九年）

魚龍紋妝金絹
蒙古汗國
內蒙古達爾罕茂明安聯合旗大蘇吉鄉明水村出土。
直徑27-28厘米。
平紋地。以片金織入，背后亦有地緯作背浮。作魚龍紋，當從摩羯魚變化而來。
現藏內蒙古文物考古研究所。

雙鸚鵡銜花錦風帽
蒙古汗國
內蒙古達爾罕茂明安聯合旗大蘇吉鄉明水村出土。
長、寬各36厘米。
帽用織金錦縫製而成，兩側各有一對銜花鸚鵡，右側縫綴兩條絹帶，口沿處鑲棕紅色絹。
現藏內蒙古博物院。

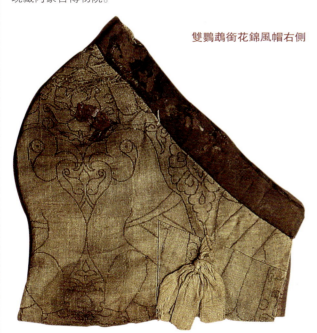

雙鸚鵡銜花錦風帽右側

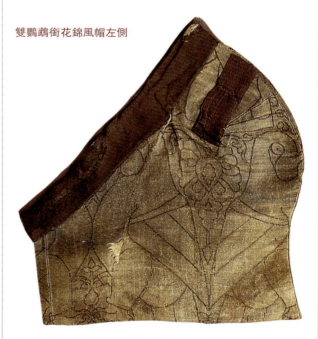

雙鸚鵡銜花錦風帽左側

[紡織品]

遼北宋西夏金南宋（公元九一六年至公元一二七九年）

緙絲靴套
蒙古汗國
內蒙古達爾罕茂明安聯合旗大蘇吉鄉明水村出土。
長45、寬26厘米。
在紫色絹地上緙絲各色花朵、綠葉和花蕾，兩側鑲有絹邊，頂部縫綴黃色絹帶用來繫縛。
現藏中國絲綢博物館。

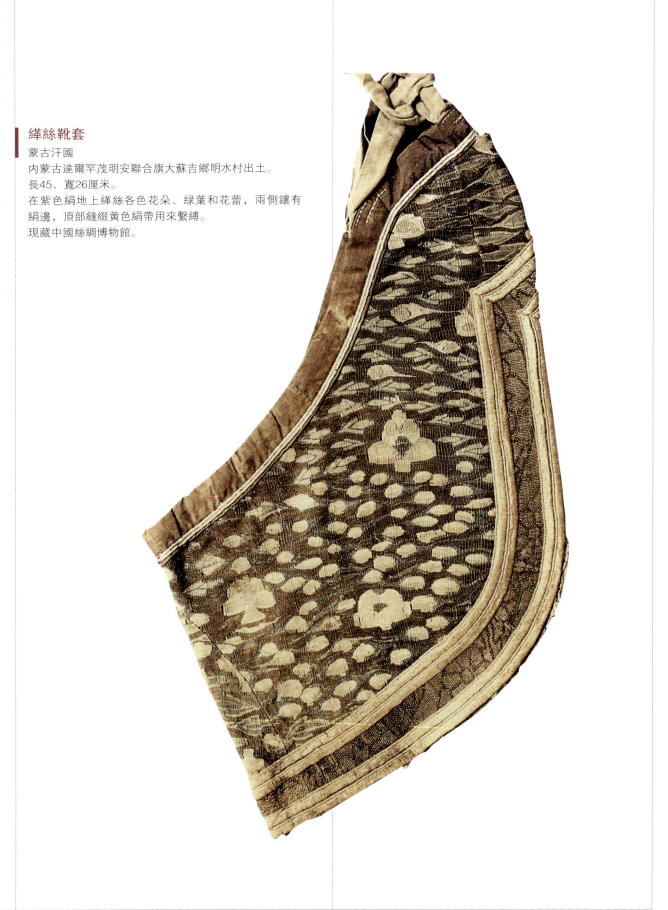

【 紡織品 】

异樣文錦
蒙古汗國
內蒙古達爾罕茂明安聯合旗大蘇吉鄉明水村出土。
長45厘米。
此錦的圖案非常少見，其主花帶是由直綫和曲綫連成的以圓形爲主的一種幾何形花紋，似爲阿拉伯文字的變體。
現藏內蒙古文物考古研究所。

黃地方搭花鳥妝花羅
蒙古汗國
內蒙古達爾罕茂明安聯合旗大蘇吉鄉明水村出土。
黃色羅地，用紫色絨絲織出紋樣。紋樣爲立于花叢中的長綬鳥。
現藏內蒙古文物考古研究所。

遼北宋西夏金南宋（公元九一六年至公元一二七九年）

277

[紡織品]

遼北宋西夏金南宋（公元九一六年至公元一二七九年）

纏枝菊花飛鶴花綾紋樣

纏枝菊花飛鶴花綾
蒙古汗國
內蒙古達爾罕茂明安聯合旗大蘇吉鄉明水村出土。
高26、寬13.5厘米。
圖案爲仙鶴翔于纏枝菊花叢中。
現藏內蒙古文物考古研究所。

如意窠花卉紋錦
蒙古汗國
此件織錦用紅黃兩色顯花，采用如意窠爲骨架，窠內有四出花卉紋樣，狀如牡丹，窠外側是遍地花卉。
現藏美國私人處。

278

[紡織品]

遼北宋西夏金南宋（公元九一六年至公元一二七九年）

緑地鶻捕雁紋妝金絹
蒙古汗國
此織物采用滴珠形的散搭圖案，在雲氣和雜花之中，頂端的海東青正在向下俯衝，捕獲展翅飛翔的大雁。
現藏私人處。

刺綉團花百合
蒙古汗國
内蒙古鑲黄旗哈沙圖出土。
團花直徑8.6厘米。
此件刺綉以清地團窠的形式排列，花卉的排列形式與一般的團窠有較大區别。它用兩朵花卉成對組成，呈旋轉式重複。
現藏内蒙古文物考古研究所。

279

[紡織品]

織錦屏風
蒙古汗國
高223.8、寬124.4厘米。
圖案類似于阿拉伯建築風格，上部有拱券，兩邊有直柱。直柱之間大小團窠穿插排列，大者爲套環狀團窠對鷄，小者爲團窠盤龍，均用金綫織出。其地紋爲細小的紅色花卉圖案，并有小滴珠窠飛鳥紋。
現藏私人處。

[紡織品]

纏枝牡丹紋緞
元
江蘇無錫市錢裕墓出土。
此織物是已知有明確紀年（延祐七年）的最早的暗花緞織物。紋樣爲花卉紋，花型較小。
現藏江蘇省無錫市博物館。

"卍"字紋綢對襟短綿襦
元
江蘇蘇州市張士誠母曹氏墓出土。
衣長57、兩袖通長207厘米。
對襟式，短身，長袖，兩袖平直。面爲方格"卍"字紋綢，裏爲黃綢，中納絲綿，前胸處有繫帶。
現藏江蘇省蘇州博物館。

八寶雲紋綢對襟短綿襦
元
江蘇蘇州市張士誠母曹氏墓出土。
衣長56、兩袖通長169厘米。
對襟式，短身，長袖。兩袖平直，赭黃色綢面，素綢裏，中納絲綿，對襟鑲深棕色邊，前胸繫帶。
現藏江蘇省蘇州博物館。

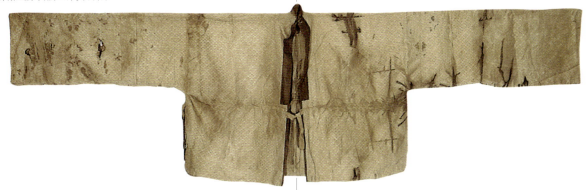

元（公元一二七一年至公元一三六八年）

[紡織品]

元（公元一二七一年至公元一三六八年）

雲龍八寶紋緞裙面料（上圖）

元

江蘇蘇州市張士誠母曹氏墓出土。
長340、寬90厘米。
此裙面料爲緞面，綢裏，中納薄層絲綿，裙面上織褐色團龍戲珠、祥雲和八寶圖案。
現藏江蘇省蘇州博物館。

鳳穿牡丹紋綢裙面料

元

江蘇蘇州市張士誠母曹氏墓出土。
長340、寬93厘米。
裙面爲平紋素地，上織鳳穿牡丹紋樣，素綢裙裏，納以絲綿。
現藏江蘇省蘇州博物館。

[紡織品]

元（公元一二七一年至公元一三六八年）

駝色織成綾福壽巾
元
山東鄒城市李裕庵墓出土。
長65、寬54厘米。
壽巾正面有方格紋帶及捲草紋帶形成的方框，框內上部織有壽星、仙鶴及龜、鹿等圖案，並嵌"壽山福海"、"金玉滿堂"八字。下部織詞文六行，每行七字，共四十二字。
現藏山東省鄒城市博物館。

刺繡山水人物紋赭綢裙帶
元
山東鄒城市李裕庵墓出土。
長155、寬5厘米。
裙帶呈長條形，赭色菱紋地，帶兩端及中部刺繡圖案內容相同：地上樹木花草叢生，空中有祥雲飛鳥，一老翁拄杖凝視遠方，一幼童獨行山間。
現藏山東省鄒城市博物館。

[紡織品]

元（公元一二七一年至公元一三六八年）

菱格地團花織金錦
元
甘肅漳縣汪氏家族墓出土。
此件織錦用作姑姑冠帽披的面料，圖案采用菱格紋作地，菱格之中為四出如意頭圖案。主花是八瓣的團窠。以團花為題材，不用動物，是此件織錦的特別之處。
現藏甘肅省博物館。

菱格地團花織金錦局部

棕色馬尾環編菱形紋面罩
元
河北隆化縣鴿子洞元代窖藏出土。
長25、寬11厘米。
面罩為棕色馬尾環編而成。斜網紋地，菱形格紋，左右各包鑲織金錦。
現藏河北省隆化縣博物館。

[紡織品]

元（公元一二七一年至公元一三六八年）

藍地灰緑方菱格"卍"字龍紋花綾對襟夾衫
元
河北隆化縣鴿子洞元代窖藏出土。
衫長67、後襟下擺寬56.5、兩袖通長106、袖口寬37厘米。
立領，對襟，半袖。面料爲雙色花綾，藍色經綫做地，灰緑色緯綫起花。花紋爲菱格"卍"字龍紋。夾衫裏襯白素絹。
現藏河北省隆化縣博物館。

藍地灰緑方菱格"卍"字龍紋花綾對襟夾衫局部

285

[紡織品]

元（公元一二七一年至公元一三六八年）

藍綠地黃色龜背朵花綾對襟夾襖
元
河北隆化縣鴿子洞元代窖藏出土。
前襟長56、兩袖通長98、領高4.2厘米。
面料爲藍綠色地，黃色提花，紋飾以鎖子紋組成龜背圖案，內填朵花。
現藏河北省隆化縣博物館。

藍綠地黃色龜背朵花綾對襟夾襖局部

[紡織品]

元（公元一二七一年至公元一三六八年）

茶綠絹綉花尖翹頭女鞋
元
河北隆化縣鴿子洞元代窖藏出土。
通長22.5、後跟最寬處5.5、後幫高4.7厘米。
尖頭微翹，鞋面茶綠色絹，裹襯白絹。鞋幫
兩面對稱綉蓮花、牡丹和梅花，鞋口鑲
淺藍色絹邊，用絲綫釘綉一周。
現藏河北省隆化縣博物館。

綠暗花綾彩綉花卉護膝
元
河北隆化縣鴿子洞元代窖藏出土。
長23、高17.5厘米。
爲不規則扁方形，係二塊近似梯形的布片辮綉縫合，面
料爲粉綠色暗花綾。四邊鑲絳紅色絹邊。左上方彩綉山
石、花蝶，左下方綉纏枝牡丹；右上方綉山石、牡丹和
蝴蝶，右下方綉桃花。
現藏河北省隆化縣博物館。

[紡織品]

褐色地鸞鳳串枝牡丹蓮花紋錦被

元

河北隆化縣鴿子洞元代窖藏出土。
長226、寬160厘米。
被面由兩幅80厘米寬的六色織錦拼接而成。織錦以褐色經綫爲地，六色緯綫起花。被頭圖案爲鸞鳳戲牡丹蓮花紋，陪襯緑葉；被面爲串枝牡丹及蓮花紋，顔色分段排列。
現藏河北省隆化縣博物館。

元（公元一二七一年至公元一三六八年）

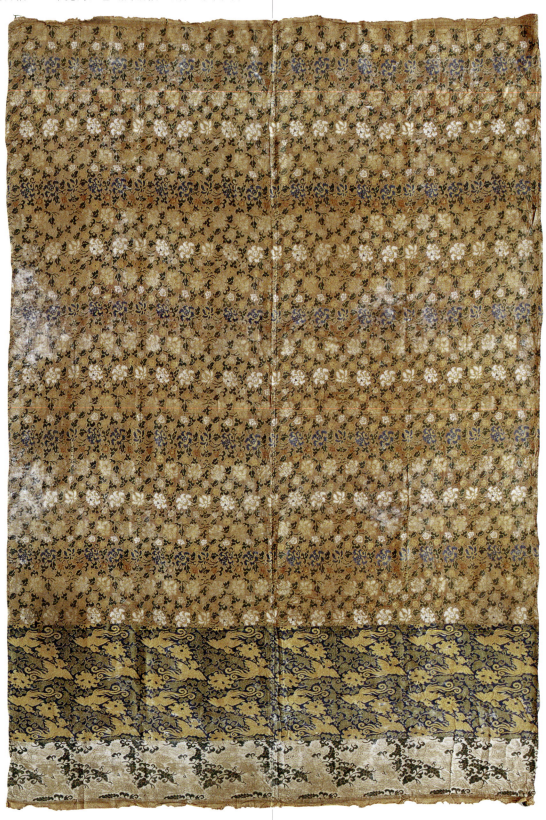

[紡織品]

元（公元一二七一年至公元一三六八年）

褐色地鸞鳳串枝牡丹蓮花紋錦被被頭局部

褐色地鸞鳳串枝牡丹蓮花紋錦被被面局部

[紡織品]

元（公元一二七一年至公元一三六八年）

黃色雲紋暗花緞
元
河北隆化縣鴿子洞元代窖藏出土。
長52、寬13.5厘米。
靈芝狀連雲紋，有幅邊殘留，外白內黃。
現藏河北省隆化縣博物館。

明黃綾彩綉折枝梅葫蘆形針扎
元
河北隆化縣鴿子洞元代窖藏出土。
長7.2、下寬3.9厘米。
黃色綾面，彩綉折枝梅四枝。邊緣鑲藍色羅邊，有裏襯。兩片辮綉縫合，底部打結做針囊入口。采用打籽、套針、辮綉、網綉等針法。
現藏河北省隆化縣博物館。

白綾地彩綉花蝶鏡衣（右下圖）
元
河北隆化縣鴿子洞元代窖藏出土。
直徑18.5厘米。
兩片辮綉縫合而成，鑲湖藍色暗花綾滾邊，面料為白素綾，裏襯白素絹，鏡衣面綉折枝邊、菊花、牡丹等。采用辮綉、套綉、打籽、滾針等綉法。
現藏河北省隆化縣博物館。

[紡織品]

元（公元一二七一年至公元一三六八年）

彩綉朵花圓形挂飾
元
河北隆化縣鴿子洞元代窖藏出土。
直徑5.8厘米。
兩面采用綾法各釘五片顏色各异的鑲邊葉形飾，形成五角形中心，面襯白綾、地綉荷花，另一面襯藍綾、地綉牡丹，下綴藍、紅、绿素綾盤腸結墜。
現藏河北省隆化縣博物館。

絲織物綴連球路紋鬥彩
元
河北隆化縣鴿子洞元代窖藏出土。
長21、寬13.5厘米。
七色素綾、暗花綾等裁成花瓣形，背面襯紙，包鑲藍、白、湖色邊，四瓣綴連成圓形，呈球路紋。
現藏河北省隆化縣博物館。

291

[紡織品]

元（公元一二七一年至公元一三六八年）

白綾地彩綉鳥獸蝴蝶牡丹枕頂

元

河北隆化縣鴿子洞元代窖藏出土。
之一長20、高16.5厘米；之二長20.3、高15厘米。
二塊。白素綾地，周邊用淺褐色素綾包鑲，上綉山石、牡丹、鳳凰、蝴蝶和家禽。
現藏河北省隆化縣博物館。

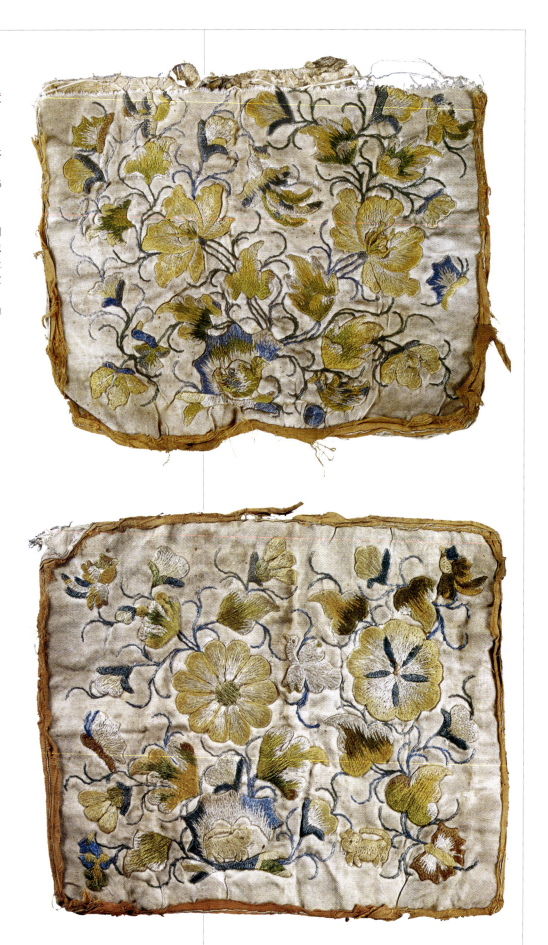

[紡織品]

元（公元一二七一年至公元一三六八年）

鬥彩綢片
元
河北隆化縣鴿子洞元代窖藏出土。
長28、寬23.5厘米。
用十八片不同顏色質地的絲織物拼接而成。織物顏色各異，質地不同。
現藏河北省隆化縣博物館。

紅色靈芝連雲紋綾（下圖）
元
河北隆化縣鴿子洞元代窖藏出土。
長124、寬77厘米。
圖案為靈芝連雲紋，原為紅色，現褪色呈淺駝色。
現藏河北省隆化縣博物館。

[紡織品]

元（公元一二七一年至公元一三六八年）

湖色綾地彩綉嬰戲蓮紋腰帶
元
河北隆化縣鴿子洞元代窖藏出土。
長144、寬5厘米。
帶飾共由三種材料構成。湖色綾地彩綉嬰戲蓮爲主，共三段，其次是綠絹地彩綉花卉。
現藏河北省隆化縣博物館。

湖色綾地彩綉嬰戲蓮紋腰帶局部

[紡織品]

元（公元一二七一年至公元一三六八年）

印金半袖夾衫
元
內蒙古察哈爾右翼前旗元代集寧路古城遺址出土。
衫長58.3、袖長43厘米。
對襟式，直擺，袖短而肥大，面料爲棕色印金羅，飾金色小團花圖案，左右襟各鑲一道金邊。
現藏內蒙古博物院。

龜背地格力芬團窠錦被（左下圖）
元
內蒙古察哈爾右翼前旗元代集寧路古城遺址出土。
高195、寬118厘米。
此件織錦被面以龜背紋爲地，上有呈散點排列的團窠紋樣，內爲相對的兩格力芬，四邊有牡丹花卉紋邊。
現藏內蒙古博物院。

龜背地格力芬團窠錦被局部

295

[紡織品]

元（公元一二七一年至公元一三六八年）

棕色羅刺繡滿池嬌夾衫
元
內蒙古察哈爾右翼前旗元代集寧路古城遺址出土。
衫長58、兩袖通長107、袖寬34、腰寬53、下擺寬54厘米。

對襟式，直擺，兩袖短而寬大，紫色素羅地，刺繡圖案共九十九個，分布於兩肩及前胸，最大的一組為對鶴圖案，一飛一立。其它的圖案呈散點分布，有花卉、動物及人物故事題材。
現藏內蒙古博物院。

棕色羅刺繡滿池嬌夾衫局部之一

[紡織品]

元（公元一二七一年至公元一三六八年）

棕色羅刺繡滿池嬌夾衫局部之二

棕色羅刺繡滿池嬌夾衫局部之四

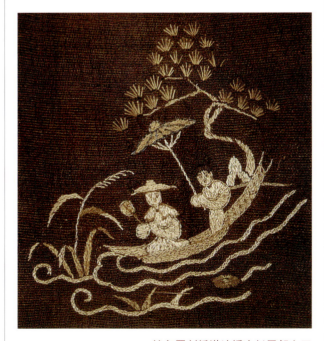

棕色羅刺繡滿池嬌夾衫局部之三

棕色羅刺繡滿池嬌夾衫局部之五

297

[紡織品]

元（公元一二七一年至公元一三六八年）

刺繡蓮塘雙鴨
元
內蒙古額濟納旗黑水城遺址出土。
高20、寬24.5厘米。
以深藍色暗花綾爲地，中心圖案爲一張大蓮葉和兩朵大蓮花，雙鴨戲水于葉下，彩蝶飛舞于花間。
現藏內蒙古博物院。

緙絲紫湯鵝戲蓮花
元
北京西城區雙塔慶壽寺出土。
高70、寬48.5厘米。
緙絲以紫色爲地，施以黃綠相間的水波紋和臥蓮圖案，臥蓮間有鵝嬉戲。工藝以平緙爲主。此圖爲局部。
現藏首都博物館。

[紡織品]

元（公元一二七一年至公元一三六八年）

貼羅綉僧帽
元
北京西城區雙塔慶壽寺出土。
高56、寬21.4厘米。
淺沉香色羅地，上貼褐色羅片，周緣爲如意雲頭形飾，中部有蔓草形飾。
現藏首都博物館。

獅首紋織金錦風帽面料
元
風帽上飾獅首紋。
現藏私人處。

獅首紋織金錦風帽面料局部

299

[紡織品]

元（公元一二七一年至公元一三六八年）

菱紋地四瓣團花紋織金錦姑姑冠

元

通高38厘米。

此姑姑冠以樺木爲骨架，從上往下由冠頂、冠身和下端的冠罩組成。冠外表除冠罩都裹着納石失（織金錦），紋樣爲菱形地上飾大型四瓣團花。冠罩裹織金絹，平紋絹作襯。

現藏內蒙古自治區蒙元文化博物館。

菱地飛鳥紋綾海青衣（右圖）

元

身長119，通袖長224厘米。

此衣交領，右衽，窄袖，寬擺。面料爲菱形地飛鳥紋淺褐色暗花綾，肩部有刺繡的凸起紋樣，紋樣爲葵花紋和纏枝蓮花紋。

現藏英國私人處。

菱地飛鳥紋綾海青衣局部

[紡織品]

元（公元一二七一年至公元一三六八年）

緙絲玉兔雲肩（殘片）
元
高33、寬24.5厘米。
殘片的下部爲捲草型的雲肩輪廓，內爲滿地的折枝牡丹花卉。殘片中間爲一月亮，內有玉兔搗藥。
現藏英國私人處。

織金錦辮綫袍
元
身長123，通袖長202厘米。
此袍交領，右衽，窄袖，束腰。面料爲納石失（織金錦），紋樣爲龜背地上的滴珠奔鹿。
現藏英國私人處。

織金錦辮綫袍局部

301

[紡織品]

元（公元一二七一年至公元一三六八年）

纏枝牡丹綾地妝金鷹兔胸背袍

元

身長140、通袖長222厘米。
此袍交領，右衽，窄袖，寬擺，前胸有四方形妝金胸背。胸背紋樣爲一隻獵鷹正在追逐一隻奔跑的兔，周圍有雲紋和花卉。
現藏內蒙古自治區蒙元文化博物館。

纏枝牡丹綾地妝金鷹兔胸背袍局部

302

[紡織品]

元（公元一二七一年至公元一三六八年）

緙絲花鳥紋袍
元
高125厘米。
此件爲一件辮綫袍的腰部及下擺殘片。面料紋樣爲折枝花卉，花間穿插飛鳥，是目前所知唯一一件完全由緙絲製成的袍子。
現藏英國私人處。

滴珠花卉紋織金錦（殘片）
元
此錦是一件大袖袍的殘片。主體以龜背形中四瓣小花作地，地上分布兩行圖案不同的滴珠窠，一行內置兔紋，另一行置花卉紋。
現藏中國絲綢博物館。

[紡織品]

元（公元一二七一年至公元一三六八年）

纏枝花卉錦
元
長68、寬59厘米。
大紅爲地，黃、藍、白色顯纏枝牡丹花，纏枝相連，間有黃或藍色葉子遮掩藤蔓。
此圖爲局部。
現藏私人處。

對格力芬團窠紋錦
元
長98、寬177厘米。
圖案由連續圓環組成，圓環內爲背身回首的格力芬。
現藏美國紐約大都會博物館。

八達暈織金錦
元
長168、寬99.5厘米。

此錦紋樣爲大型複雜的團窠造型，大面積用金使其顯得氣勢宏大。
現藏英國私人處。

【紡織品】

元（公元一二七一年至公元一三六八年）

團龍紋織金絹
元
長74.5、寬33.2厘米。
紅色平紋地，上飾織金團龍紋。
現藏美國紐約大都會博物館。

核桃形雲鳳紋織金絹
元
滴珠形散搭圖案，圖案中一鳳飛翔于雲氣之間。
現藏英國私人處。

[紡織品]

元（公元一二七一年至公元一三六八年）

對龍對鳳兩色綾
元
長150、寬60厘米。
以斜紋爲地，單插合花綾組織。上織團窠對龍和柿蒂窠對鳳圖案。
現藏香港私人處。

刺綉佛袈裟
元
長119、寬80厘米。
袈裟上下綉佛九行，每行行滿七佛。有至正元年（公元1341年）墨書題記。
現藏山西博物院。

307

[紡織品]

元（公元一二七一年至公元一三六八年）

織成儀鳳圖
元
高54、寬548厘米。
原色地上用金彩緯綫織成百鳥和玉蘭圖案，上有多方印記。
現藏遼寧省博物館。

[紡織品]

元（公元一二七一年至公元一三六八年）

309

[紡織品]

元（公元一二七一年至公元一三六八年）

松鹿紋鬥彩
元
高105、寬100厘米。
此件松鹿紋織金是一件鬥彩的中心織物，綠色斜紋地上織入片金顯花，圖案以鹿銜靈芝爲題材。
現藏香港私人處。

[紡織品]

花叢飛雁刺繡護膝
元
高20、寬25厘米。
大雁穿插于花叢之間。
現藏私人處。

刺繡密集金剛像
元
高75、寬61厘米。
畫面主體用湖藍色絲綫繡成三頭六臂的密集金剛像：結跏趺坐于蓮臺之上，頭戴寶冠，身披瓔珞，上身赤裸，手持各種法器，有舟形背光。上方刺繡二佛二金剛像，下方刺繡三尊三頭六臂的金剛像。
現藏西藏自治區拉薩市布達拉宮。

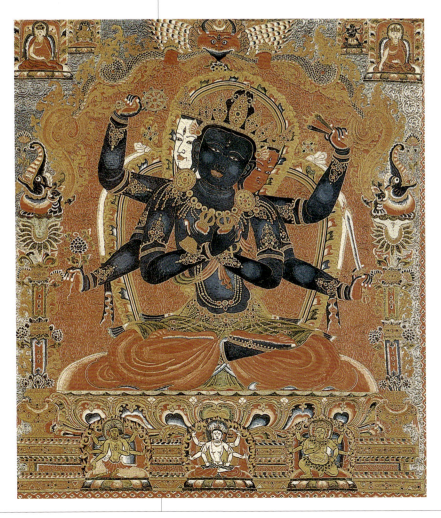

元（公元一二七一年至公元一三六八年）

[紡織品]

褐色羅地綉人物花鳥紋抹胸（右上圖）
元
上寬31.5、下寬38.5、長33.5厘米。
抹胸呈正方形，上部有襻，下部兩邊各附素羅一條。黃地，繪墨稿。圖案正中一人端坐于蓮花之上，頭上有祥雲、飛鶴，身旁樹木披拂，小溪裏有一對水禽。
現藏故宮博物院。

管仲姬款觀音像
元
高104.9、寬49.8厘米。
在綾地上用套針、滾針等技法綉出。黑髮用髮絲綉成。有管仲姬的落款及印鑒。管仲姬爲元代著名書家趙孟頫之妻。
現藏南京博物院。

[紡織品]

元（公元一二七一年至公元一三六八年）

黃緞地刺繡妙法蓮華經第五卷
元
長2336、寬53厘米。
以五枚緞爲地，綉藍絲絨楷書《妙法蓮華經》第五卷，卷首尾各綉一幅精美圖案，卷首爲釋迦牟尼説法圖，卷尾綉韋馱像。經文中的一百五十四個"佛"字，除一個外，其餘均用金錢綉出。刺綉工藝精湛，采用平綉、網綉、纏針、打籽、松針、戧針、釘金、貼金箔等工藝。
現藏首都博物館。

黃緞地刺綉妙法蓮華經卷尾韋馱像

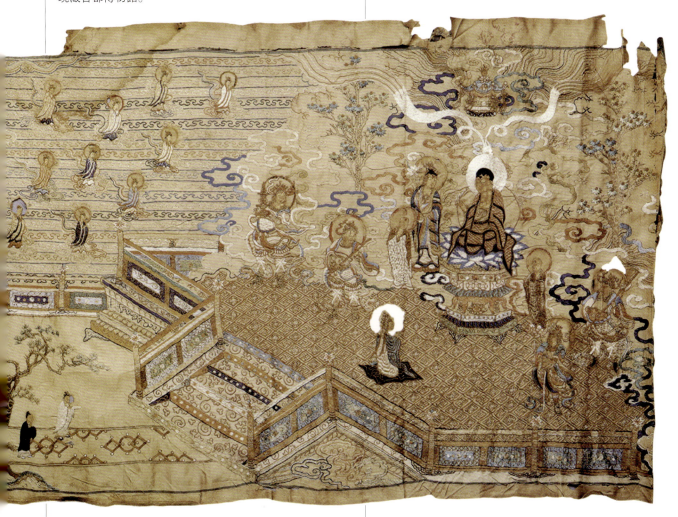

【 紡織品 】

元（公元一二七一年至公元一三六八年）

刺綉雙鳳穿花紋華蓋
元
高58、寬58厘米。
中央兩鳳飛舞，周圍飾多種花卉。
現藏私人處。

鸞鳳穿花紋綉
元
高135、寬143厘米。
中央一對鸞鳳相嬉，周圍飾雲紋和花卉紋。
現藏美國紐約大都會博物館。

314

[紡織品]

元（公元一二七一年至公元一三六八年）

動物花鳥紋刺綉
元
高37.8、寬37.1厘米。
在白色平紋地上綉出衆多動物和花鳥紋樣。
現藏美國紐約大都會博物館。

[紡織品]

緙絲大威德曼荼羅
元
高245.5、寬209厘米。
曼荼羅中央爲大威德金剛，形象爲九頭，正面爲牛頭，三十四臂，十六足，足踏覆蓮。四方、四門和四角皆爲金剛。上部有高僧，下部兩角有元文宗和元明宗及皇后供養像。
現藏美國紐約大都會博物館。

[紡織品]

元（公元一二七一年至公元一三六八年）

緙絲大威德曼荼羅局部之一

緙絲大威德曼荼羅局部之三

緙絲大威德曼荼羅局部之二

緙絲大威德曼荼羅局部之四

317

[紡織品]

元（公元一二七一年至公元一三六八年）

緙絲宇宙曼荼羅

元

高83.8、寬83.8厘米。

宇宙的中心爲聳立于海中的須彌山，須彌山兩旁有日和月，周圍有七重山巒；山巒的四方是四大洲，四大洲顏色不同；四大洲的外圍又有兩重山巒。四角爲寶瓶花卉和寶物。

現藏美國紐約大都會博物館。

[紡織品]

元（公元一二七一年至公元一三六八年）

緙絲雁兔花樹
元
高59.5、寬33厘米。
樹下蹲一兔，兩隻大雁在空中飛翔，花叢中還有嬰戲紋樣。
現藏私人處。

緙絲蓮塘荷花圖
元
蓮塘中有荷花，蓮塘上有飛鳥，旁有奔鹿。
現藏英國私人處。

319

【 紡 織 品 】

元（公元一二七一年至公元一三六八年）

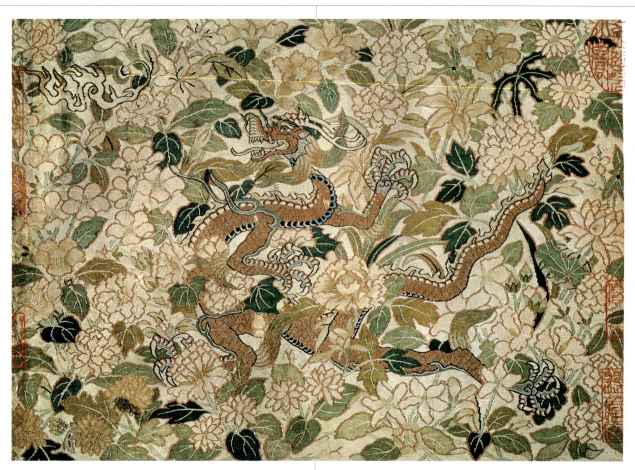

[紡織品]

元（公元一二七一年至公元一三六八年）

緙絲花間行龍圖（左上圖）
元
高22.5、寬31.3厘米。
白地上緙織百花及行龍圖案。龍昂首挺胸，穿行百花叢中，神態十分威猛。
現藏臺北故宮博物院。

緙絲不動明王像
元
高90、寬56厘米。
桃紅色雲紋地上緙織一尊藍色不動明王像。上方緙織大日如來、阿閦如來、寶生如來等七尊佛，下方爲一佛四菩薩。
現藏西藏自治區拉薩市布達拉宮。

緙絲蓮塘雙鴨圖（左下圖）
元
高32、寬60厘米。
蓮塘中雙鴨回首相嬉。
現藏美國紐約大都會博物館。

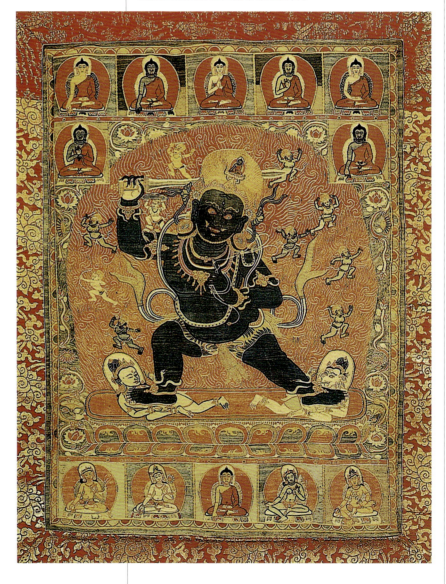

321

[紡織品]

緙絲鳳穿牡丹花圖
元
高57.1、寬34厘米。

圖案為鳳穿牡丹。因鳳為百鳥之王，牡丹為花中之王，所以此圖案逐漸成為富貴的象徵。
現藏私人處。

【 紡織品 】

元（公元一二七一年至公元一三六八年）

緙絲花卉
元
新疆烏魯木齊市鹽湖出土。
高31、寬16厘米。
使用披梭戧色法，增加了花朵的暈感。
現藏新疆維吾爾自治區博物館。

緙絲百花攢蟒圖
元
高53.5、寬33厘米。
蟒紋四爪，蟒鬃後揚，上唇呈尖鉤形，長於下唇，具有北方龍形特徵。
現藏美國紐約大都會博物館。

323

[紡織品]

元（公元一二七一年至公元一三六八年）

緙絲龍虎白鹿條紋織成衣料
元
長58、寬27.2厘米。
緙絲條紋。間飾飛龍、猛虎、白鹿。
現藏美國克里夫蘭博物館。

[紡織品]

明（公元一三六八年至公元一六四四年）

團龍胸補
明
北京昌平區定陵出土。
胸補徑38厘米。
龍袍的前胸、後背及兩袖各釘一團龍補，胸、背團龍補綉正面龍戲珠。
現藏北京市定陵博物館。

龍袍方補
明
北京昌平區定陵出土。
胸補徑37.2厘米。
紋樣及刺綉針法相同，均爲直接綉在交領右衽袍的前胸和後背。前胸和後背的紋樣呈方補形，上部綉龍戲珠、祥雲紋，下爲壽山福海、八寶紋。
現藏北京市定陵博物館。

[紡織品]

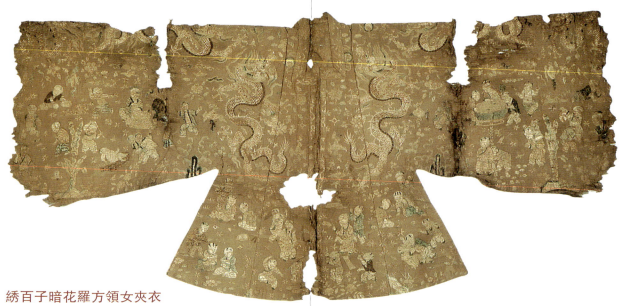

綉百子暗花羅方領女夾衣
明
北京昌平區定陵出土。
身長71、兩袖通長163、領邊寬3、下擺寬81.5厘米。前襟上部綉二龍戲珠，後襟爲正面龍戲珠。兩袖各綉直袖龍兩條，一龍頭向肩部，一龍頭向袖端。前後襟及兩袖滿綉百子嬉戲圖，其間綉八寶紋、花卉紋，整件衣服共綉一百個童子，按故事情節，可分爲四十一個畫面，有搏戲圖、鬥毆圖、捻陀圖、猜拳圖等。
現藏北京市定陵博物館。

綉百子暗花羅方領女夾衣局部之二

綉百子暗花羅方領女夾衣局部之一

綉百子暗花羅方領女夾衣局部之三

萬曆皇帝緙絲十二章袞服

明

北京昌平區定陵出土。

身長136、兩袖通長233、袖寬55厘米。

由大襟（含左袖）、小襟（含右袖）、後片（領部至下擺底邊）三部分組成。地紋緙"卍"、"壽"字、蝙蝠和如意雲紋，面飾十二章圖案，以團龍占主導地位，位於前身、後身、兩肩及下擺等處，其它十一章位於團龍的上下和左右兩側，主次分明。

現藏北京市定陵博物館。

绣"洪福齊天"補織金妝花紗女夾衣圓補

明

北京昌平區定陵出土。

前身左右襟綴"洪"、"福"二字圓補，周繞雙龍戲珠紋。後襟正中綴"齊天"二字圓補，亦有雙龍戲珠紋環繞。

現藏北京市定陵博物館。

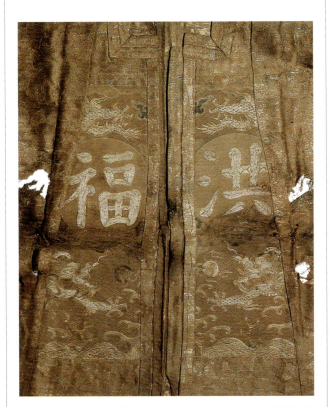

绣"洪福齊天"補織金妝花紗女夾衣前襟圓補

绣"洪福齊天"補織金妝花紗女夾衣後襟圓補

[紡織品]

明（公元一三六八年至公元一六四四年）

绣"壽"補織金妝花紗女夾衣
明
北京昌平區定陵出土。
身長71、通袖長168、袖寬47、下擺寬80厘米。
胸補左右各有一玉兔銜靈芝，靈芝托上綉一"壽"字，兩側各綉一升龍戲珠及花卉紋，龍首頂部綉一"萬"字，下部是壽山福海及八寶紋，寓意"靈仙祝壽"，背補紋飾與胸補相同。
現藏北京市定陵博物館。

绣"壽"補織金妝花紗女夾衣胸補局部

[紡織品]

織金妝花緞立領女夾衣（局部）

明

北京昌平區定陵出土。
地紋爲升降龍戲珠，串枝四季花卉紋，胸部飾二龍戲珠，兩袖各一直袖龍，背部爲正面龍戲珠，對襟貼邊飾龍趕珠花卉紋。
現藏北京市定陵博物館。

織金羅裙（局部）

明

北京昌平區定陵出土。
紋樣爲織金八寶紋。
現藏北京市定陵博物館。

明（公元一三六八年至公元一六四四年）

[紡織品]

明（公元一三六八年至公元一六四四年）

織金妝花柿蒂龍襴緞龍袍料
明
北京昌平區定陵出土。
匹長1895、機頭10、外幅69.5、內幅68.2厘米。
共有十二個龍襴，九個裁剪口，在一端織有龍領兩條，柿蒂及龍襴內飾子孫龍。柿蒂內織一大龍戲珠和小龍十三條；每條龍襴內飾一大龍戲珠、小龍五條。
現藏北京市定陵博物館。

紅素羅綉龍火二章蔽膝
明
北京昌平區定陵出土。
上寬25.7、下寬41.2、腰寬5.2厘米。
上部有腰，兩側及下部用紅羅鑲邊，面上釘有綉製的龍、火二章，均為紗地絨綉，金綫絞邊。上部一條行龍，龍上下綉四合雲和骨朵雲紋，下部是三個桃形紅色火焰紋。
現藏北京市定陵博物館。

330

[紡織品]

明（公元一三六八年至公元一六四四年）

串枝蓮花緞

明

北京昌平區定陵出土。
匹長1124、機頭11.1、外幅67、內幅65.5厘米。
墨綠地，串枝蓮花紋，以大紅、粉紅二色織花。蓮花紋以兩排爲一個循環，一排有蓮蓬，一排盛開狀。
現藏北京市定陵博物館。

織金團壽靈芝緞

明

北京昌平區定陵出土。
匹長1887、機頭2、外幅68.8、內幅67.3厘米。
黃色地，地紋爲暗花團壽靈芝紋，以靈芝作花托，上承無極紋。六則，整體剖光。
現藏北京市定陵博物館。

331

[紡織品]

明（公元一三六八年至公元一六四四年）

松竹梅歲寒三友緞

明

北京昌平區定陵出土。

匹長1407、機頭2.2、外幅65、內幅64.2厘米。

以細小的松竹作賓花，以大朵的梅花作主花，在五個梅花瓣內分別飾犀角、雲頭、金錠、銀錠、方勝爲一排，飾犀角、雲頭、金錠、古錢、寶珠爲另一排，梅花中心都飾以"卍"字，上下兩排爲一循環，四則。

現藏北京市定陵博物館。

鶯哥綠織金龍雲肩妝花緞袍料

明

北京昌平區定陵出土。

匹長1430、幅寬66.5厘米。

暗花雲鶴紋緞地，在柿蒂過肩龍四周織有海水江牙及花卉紋。龍襴十一個，龍領兩條，中間織正面坐龍，兩端織雙龍戲珠紋。

現藏北京市定陵博物館。

織金妝花奔兔紋紗

明

北京昌平區定陵出土。

匹長1354、機頭6.7、外幅68、內幅66.9厘米。

紅地，織金奔兔紋，四則。兔口銜靈芝，背負靈芝托。第一排托內承團鶴，第三排托內承無極壽紋，第二、四排靈芝托內承一"卍"字，花紋圖案每四排爲一個循環。

現藏北京市定陵博物館。

[紡織品]

明（公元一三六八年至公元一六四四年）

壓金彩綉雲霞翟紋霞帔
明
江西南昌市華東交通大學校園寧靖王夫人吳氏墓出土。
長245、寬26厘米。
霞帔以四經絞羅爲地，原爲青色，現褐色。共綉十四隻翟鳥。
現藏江西省文物考古研究所。

壓金彩綉雲霞翟紋霞帔局部

[紡織品]

明（公元一三六八年至公元一六四四年）

瓔珞雲肩織金妝花緞上衣正面

瓔珞雲肩織金妝花緞上衣背面

瓔珞雲肩織金妝花緞上衣
明

江西南昌市華東交通大學校園寧靖王夫人吳氏墓出土。

高62、寬210厘米。

右衽交領，短身，袖帶弧形。折枝暗花緞地織金妝花瓔珞雲肩織物作面料，袖底腋下及袖口處對稱地拼接雜寶獅戲球暗花緞，絹作襯裏。

現藏江西省文物考古研究所。

瓔珞雲肩織金妝花緞上衣局部

335

[紡織品]

明（公元一三六八年至公元一六四四年）

折枝團花紋緞地夾襖
明
江西南昌市華東交通大學校園寧靖王夫人吳氏墓出土。
長55.5、寬206厘米。
右衽交領短身。面料爲折枝團花紋五枚暗花緞，紋樣爲青地上團形的折枝小花。
現藏江西省文物考古研究所。

折枝團花紋緞裙
明
江西南昌市華東交通大學校園寧靖王夫人吳氏墓出土。
長78厘米。
裙腰爲棉布，裙身共兩片。面料爲折枝團花紋五枚暗花緞。
現藏江西省文物考古研究所。

[紡織品]

明（公元一三六八年至公元一六四四年）

八寶團鳳雲膝襴裙

明

江西南昌市華東交通大學校園寧靖王夫人吳氏墓出土。
長87厘米。
圖案分爲四段，最上一段爲八寶團鳳暗花緞，第二段爲鳳穿花卉紋膝襴，第三段又是八寶團鳳暗花緞，最底部爲朵雲和奔兔紋樣邊飾。
現藏江西省文物考古研究所。

[纺织品]

明（公元一三六八年至公元一六四四年）

天華纏枝蓮花緞被

明

江西南昌市華東交通大學校園寧靖王夫人吳氏墓出土。
長246、寬170厘米。
此被由三幅織物拼縫接成。織物上沿經向排列三種圖案。被頭處爲天華圖案，大格内爲獅子綉球和蝴蝶紋樣。被身爲纏枝蓮花圖案。被頭與被身之間爲織金"卍"字紋的装飾帶。
現藏江西省文物考古研究所。

天華纏枝蓮花緞被局部之一

天華纏枝蓮花緞被局部之二

338

龜背團花重錦褥

明

江西南昌市華東交通大學校園寧靖王夫人吳氏墓出土。
長210、寬80、高12厘米。
此錦褥如梯臺形，表層較底層小。表層與側面為織錦，底層用棉布。
現藏江西省文物考古研究所。

龜背團花重錦褥局部

[紡織品]

雜寶細花紋暗花緞

明

江西南昌市華東交通大學校園寧靖王夫人吳氏墓出土。
長680、寬60.2厘米。
原來可能爲紅色。由絲絨綫兩頭包扎，中間以紙作腰封。
現藏江西省文物考古研究所。

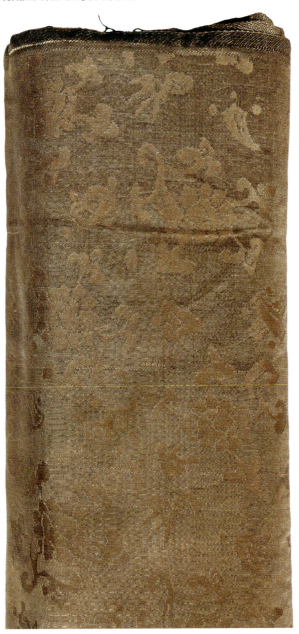

刺繡團花被套

明

江西南昌市華東交通大學校園寧靖王夫人吳氏墓出土。
長238、寬189厘米。
此被正面爲緞地刺繡，背后襯絹。共繡四十九個團花，以蓮花爲主，輔以梅、桃等花。
現藏江西省文物考古研究所。

刺繡團花被套頭部

刺繡團花被套局部之一

[紡織品]

明（公元一三六八年至公元一六四四年）

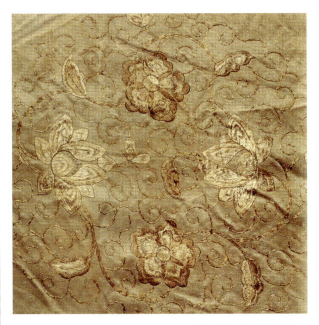
刺繡團花被套局部之二

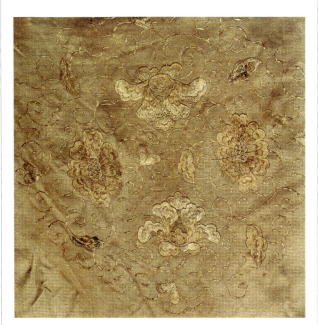
刺繡團花被套局部之四

刺繡團花被套局部之三

刺繡團花被套局部之五

[紡織品]

明（公元一三六八年至公元一六四四年）

駝色暗花緞織金鹿紋胸背棉襖

明

北京豐臺區長辛店朱家墳出土。
身長85.5、通袖長203厘米。
此襖斜襟，右衽，用料爲正反五枚褐色四合邊雲暗花緞，有一織金胸背，其上金織梅花鹿、壽山和福海等。
現藏首都博物館。

駝色暗花緞織金鹿紋胸背棉襖局部

342

[紡織品]

明（公元一三六八年至公元一六四四年）

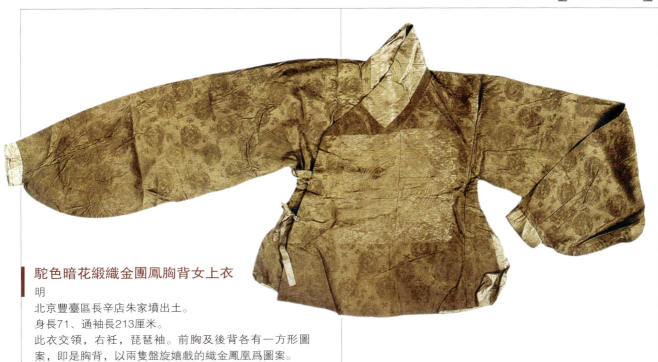

駝色暗花緞織金團鳳胸背女上衣
明
北京豐臺區長辛店朱家墳出土。
身長71、通袖長213厘米。
此衣交領，右衽，琵琶袖。前胸及後背各有一方形圖案，即是胸背，以兩隻盤旋嬉戲的織金鳳凰爲圖案。
現藏首都博物館。

駝色暗花緞織金團鳳胸背女上衣局部

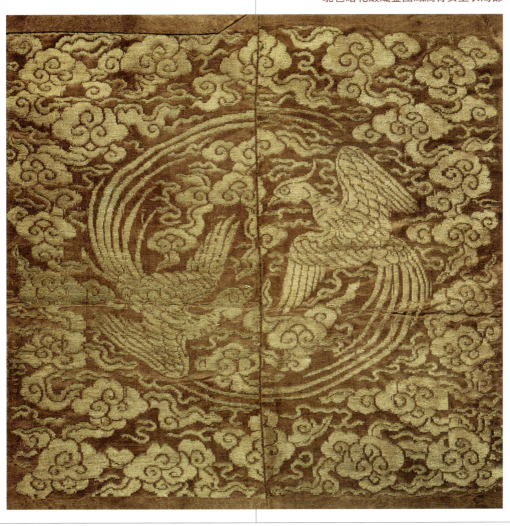

[紡織品]

明（公元一三六八年至公元一六四四年）

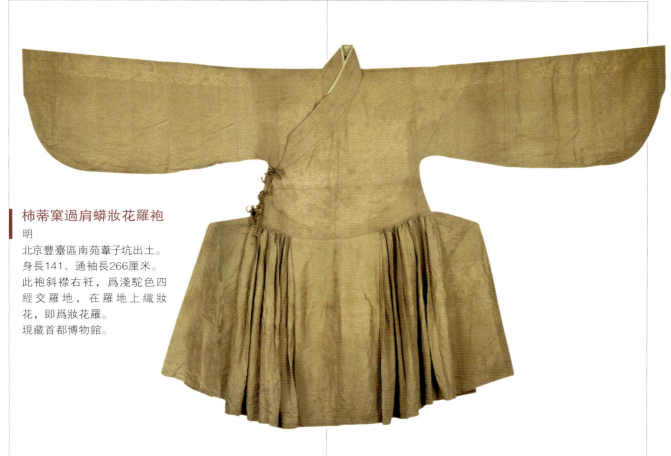

柿蒂窠過肩蟒妝花羅袍

明

北京豐臺區南苑葦子坑出土。身長141、通袖長266厘米。此袍斜襟右衽，爲淺駝色四經交羅地，在羅地上織妝花，即爲妝花羅。

現藏首都博物館。

柿蒂窠過肩蟒妝花羅袍局部

[紡織品]

明（公元一三六八年至公元一六四四年）

平金龍紋藍羅袍

明

山東曲阜市孔府舊藏。

身長120、腰寬62、袖長115、袖口寬90厘米。

夾袍，面料爲雲紋藍羅，盤領，右衽，廣袖，兩腋下繫白地綉花長帶，胸、背及兩袖綉平金雲龍紋，龍身周圍繞以金綫盤如意紋。

現藏山東省博物館。

平金龍紋藍羅袍領胸局部

345

[紡織品]

明（公元一三六八年至公元一六四四年）

綉雙鳳補赭紅緞長袍
明
山東曲阜市孔府舊藏。
前身長113、後身長147、通袖長306、袖口寬13厘米。
面料爲暗花赭紅緞，盤領，右衽，袖筒肥大，袖口窄小，腋下繫帶。前襟短，後襟長，均鑲黃邊，胸背各綴有五彩絲綫綉出的鳳補圖案。
現藏山東省博物館。

綉雙鳳補赭紅緞長袍胸補局部

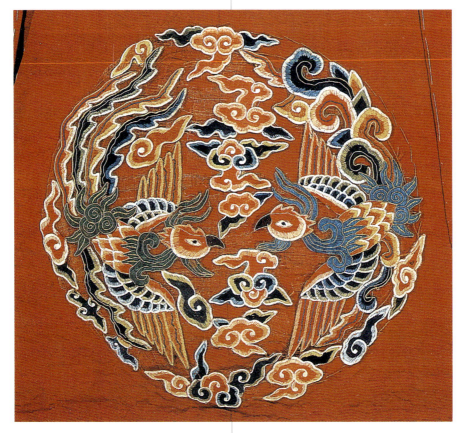

346

[紡織品]

明（公元一三六八年至公元一六四四年）

金地緙絲蟒鳳白花袍
明
身長152、通袖長192厘米。
此袍右衽，斜襟，捻金綫緙絲地。前後身和兩袖緙蟒四條、鳳四隻及朵雲和牡丹。
現藏北京藝術博物館。

金地緙絲蟒鳳白花袍正面

金地緙絲蟒鳳白花袍背面

347

[紡織品]

明（公元一三六八年至公元一六四四年）

納綉五彩雲龍上衣
明

身長59、通袖長142厘米。
先用黃色綉綫在紅紗地上滿納地紋，再于其上綉行龍和流雲紋。龍鱗用黑、紅、藍、綠、黃等彩綫綉成。
現藏北京藝術博物館。

千佛袈裟
明

長309、寬112厘米。
紅地織金錦。飾有九百九十一個坐佛，均端坐在蓮花座上。背景爲黃色，縱橫排列。襯料爲紅地雲紋。
現藏香港私人處。

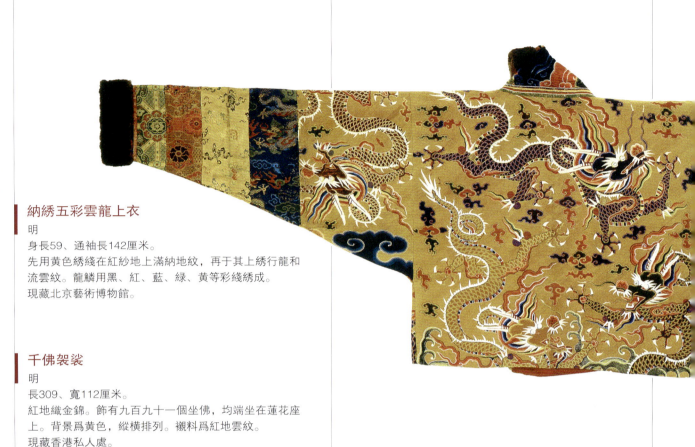

[紡織品]

綠地雲蟒紋妝花緞織成褂料

明

長328、寬66.5厘米。

草綠色地，用二十餘種彩綫織成圖案，前胸織立蟒兩條，後面織正蟒一條，蟒身周圍環繞各色祥雲，下幅織壽山平水及纏枝花卉，有小蟒穿行花中。現藏故宮博物院。

明（公元一三六八年至公元一六四四年）

349

[紡織品]

明（公元一三六八年至公元一六四四年）

灑綫綉百花攆龍紋披肩袍料
明

袍料身長146、兩袖通長137厘米。此披肩爲紅色紗地，前胸及後背綉兩條過肩龍，周圍綉海水江牙和雜寶紋，袍料爲團龍雲紋暗花緞。現藏故宫博物院。

灑綫綉百花攆龍紋披肩袍料局部

紅織金雲蟒紋妝花緞織成帳料

明

帳面共織金蟒六十九條，正面織升蟒三條，升蟒上部有兩蟒戲珠，中間隔以十二條小蟒，帳沿四周一圈五十二條小蟒。

現藏北京藝術博物館。

[紡織品]

明（公元一三六八年至公元一六四四年）

金地緙絲燈籠仕女袍料
明
長179、寬133厘米。

捻金綫緙地。柿蒂內以燈籠仕女做主景，點綴湖石和花卉。柿蒂外織折枝牡丹和梅花，色彩艷麗。現藏北京藝術博物館。

金地緙絲燈籠仕女袍料局部

[紡織品]

黄色鳳鶴樗蒲紋緞簾
明
北京西城區德勝門外冰窖口出土。
長117、寬96.5厘米。
爲黄色五枚緞地，圖案以"鳳鶴相戲"組成樗蒲紋。金綫交邊。
現藏首都博物館。

緑地仙人祝壽圖妝花緞
明
緑色地，上織"仙人祝壽圖"。畫面中兩仙女分別捧珊瑚和壽桃，踏祥雲于海水江牙之上，前有鳳凰引路，旁有蓮花。
現藏故宮博物院。

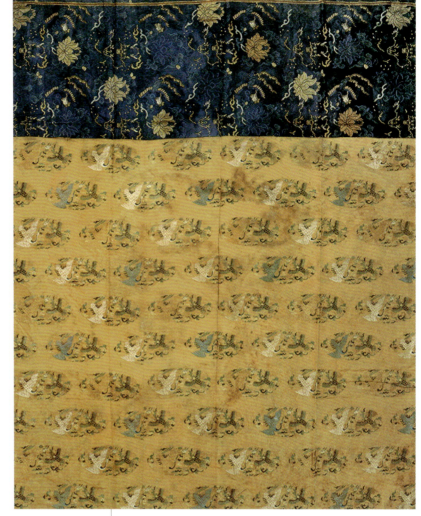

明（公元一三六八年至公元一六四四年）

[紡織品]

明（公元一三六八年至公元一六四四年）

綠地飛鳳天馬紋妝花緞

明

長31、寬13厘米。

綠色地。畫面爲一鳳在空中飛舞，下方一天馬奔騰在海水江牙之上。

現藏故宮博物院。

紅地魚藻紋妝花緞

明

長35.5、寬12.5厘米。

紅色地。上織魚藻紋，皆爲魚在水藻間穿梭的形式。

現藏故宮博物院。

[紡織品]

明（公元一三六八年至公元一六四四年）

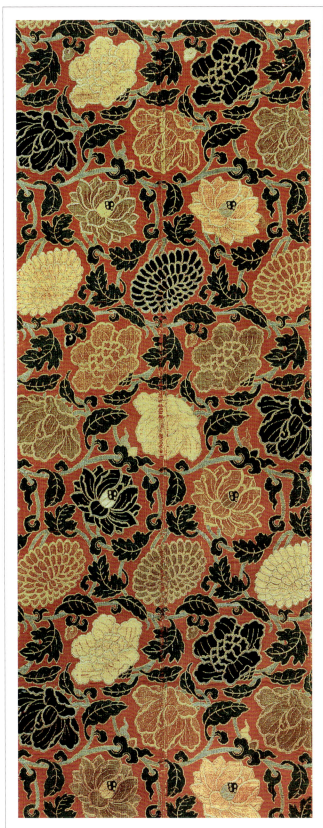

鯉魚戲水落花紋織金緞
明
長33、寬13厘米。
鯉魚游于水中，相互嬉戲。
現藏故宮博物院。

紅地纏枝牡丹蓮菊紋妝花緞
明
長142、寬40.5厘米。
紅色地。上織牡丹、蓮花和菊花等紋飾，寓意吉祥。
現藏故宮博物院。

355

[紡織品]

明（公元一三六八年至公元一六四四年）

白地雲龍紋織金緞

明
長350、寬68厘米。
白色地。上織雲龍紋，龍紋圍繞四合如意雲紋上下翻騰飛舞。
現藏故宮博物院。

青地梅鵲紋雙層織物

明
長23.1、寬24.5厘米。
青色地，白色顯花。花紋以喜鵲爲主，喜鵲或口銜梅花，或口銜梅枝，間飾竹子、磬和古錢等。寓意"喜上眉梢"和"慶福"等。
現藏故宮博物院。

[紡織品]

藍地福壽雙魚紋雙層織物經皮
明
長35、寬14.5厘米。
藍色地。上織寶劍雙魚及"福""壽"字等文飾。花紋交錯排列，寓意"福壽如意"和"連年有餘"等。現藏故宮博物院。

雪青地八寶紋雙層織物
明
長35、寬14厘米。
雪青色地。上織法輪、法螺、寶傘、白蓋、蓮花、寶罐、金魚和盤長圖案，即八寶紋，寓意"八寶生輝"。現藏故宮博物院。

[紡織品]

明（公元一三六八年至公元一六四四年）

白地曲水纏枝蓮紋雙層織物
明
長35、寬28厘米。
白色地。上織平紋斜"卍"字錦紋地和纏枝蓮紋。寓意"萬壽無邊"和"生生不息"等。
現藏故宮博物院。

黃地兔銜花紋妝花紗
明
長47、寬48.5厘米。
黃色地。上織兔銜花卉文飾。兔或銜靈芝，或銜桂花，間飾菊花和牡丹等花卉紋。
現藏故宮博物院。

[紡織品]

黃地鳳鶴紋妝花紗經皮
明
長38.5、寬17厘米。
黃色地。上織飛鳳和仙鶴紋，間飾靈芝、如意雲頭、雙錢、犀角、珊瑚、方勝等雜寶紋和鐘、磬、排簫、琴等組成的"八音紋"。
現藏故宮博物院。

紅地奔虎五毒紋妝花紗
明
長32、寬10.6厘米。
紅色地。上織虎和五毒紋。
現藏故宮博物院。

[紡織品]

明（公元一三六八年至公元一六四四年）

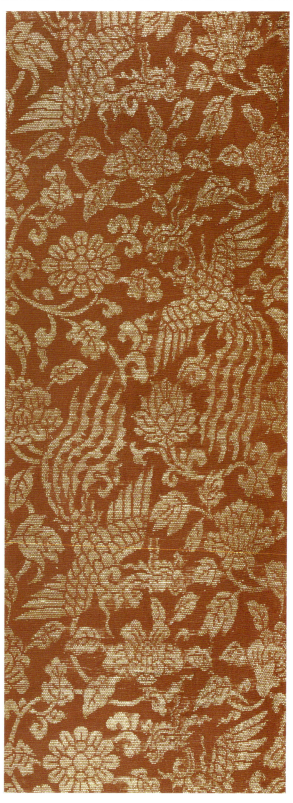

紅地鳳穿牡丹紋織金羅經皮
明
長35.5、寬14厘米。
紅色地。上織飛鳳紋，穿梭于牡丹花間，周圍是纏枝菊、蓮和茶花紋。
現藏故宮博物院。

綠地四合如意雲織金羅
明
綠色地上以金綫織四合如意雲紋。
現藏北京藝術博物館。

[紡織品]

絳色地雲鶴紋暗花綢
明
長36.5、寬13.5厘米。
絳色地。上織四合如意紋、飛鶴紋和珊瑚、方勝、火珠、鼓、板和古錢等雜寶紋。
現藏故宮博物院。

烟色地纏枝牡丹蓮花雙色綢
明
烟色地上顯花織交錯排列的纏枝牡丹。
現藏北京藝術博物館。

明（公元一三六八年至公元一六四四年）

【 紡織品 】

明（公元一三六八年至公元一六四四年）

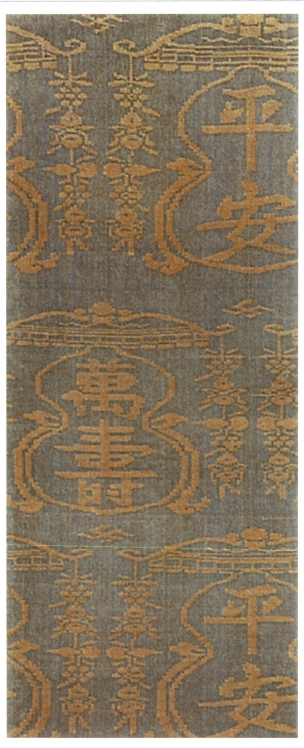

灰綠地平安萬壽葫蘆形燈籠潞綢
明
葫蘆形燈籠內織"平安"和"萬壽"圖紋。
現藏北京藝術博物館。

醬色地壽字紋潞綢
明
醬色地上織"壽"字圖紋。
現藏北京藝術博物館。

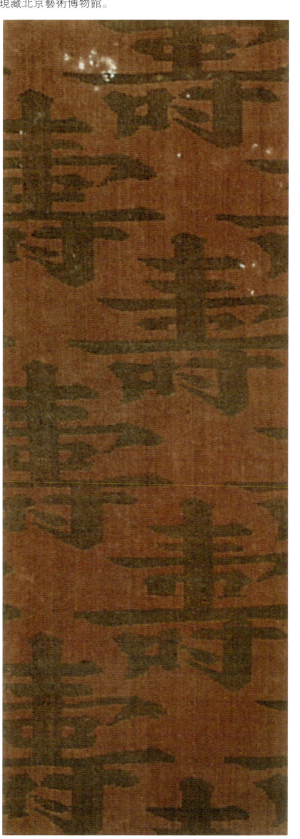

[紡織品]

艾虎五毒回回錦
明
長64、寬32厘米。

以艾虎五毒爲主題，將虎與五種毒物以同等大小布置在水田紋上，水田紋由不同三角形色塊組成圖案。
現藏英國私人處。

明（公元一三六八年至公元一六四四年）

[紡織品]

明（公元一三六八年至公元一六四四年）

織錦中秋節令玉兔紋補子
明
高27.4、寬29厘米。
一兔回首張望，周邊飾花草植物。
現藏私人處。

織錦斗牛紋補子
明
高39、寬41厘米。
如意雲紋地，牛角龍身，四爪，魚尾形。
現藏私人處。

【 紡織品 】

綠地花果紋夾纈綢
明
長59、寬58厘米。
采用夾纈的方法，在綠地上印出五彩繽紛的瓜果圖案。
現藏故宮博物院。

青地纏枝四季花印花布
明
長35.1、寬14.3厘米。
用直接印花的方法印出青地黃花的纏枝四季花卉紋樣。
現藏中國國家博物館。

明（公元一三六八年至公元一六四四年）

【 紡 織 品 】

明（公元一三六八年至公元一六四四年）

緙金地龍紋壽字裱片
明
高38、寬37厘米。
此裱片是龍袍的前襟。正龍四周飾祥雲，并襯以"卍"、"壽"等字樣，寓意"萬壽無疆"。現藏故宮博物院。

緙絲孔雀補雲肩
明
高117、寬97厘米。
將補子與雲肩織爲一體，補子圖案爲孔雀，屬文官三品所用。現藏英國私人處。

[紡織品]

金地緙絲鳳凰牡丹紋團補
明
直徑30-31厘米。
這是一件明代服裝上的圓形補子。緙織金地，用五彩絲綫織一鳳一凰相顧飛翔。
現藏清華大學美術學院。

緙絲鷺鷥紋補子
明
高37.5、寬36厘米。
鷺鷥翔于彩雲間。
現藏香港私人處。

明（公元一三六八年至公元一六四四年）

[紡織品]

明（公元一三六八年至公元一六四四年）

緙絲仕女人物紋壁飾
明
高77、寬173厘米。
采用平緙、長短戧、木梳戧、鳳尾戧、搭緙、緙金等多種緙絲手法，捻金綫緙地，彩色絲綫緙織人物祝壽場景。
現藏首都博物館。

緙絲花卉圖
明
高43、寬244厘米。
牙色地上緙織牡丹、荷花、芙蓉、梅花等四組花卉單元，鳥雀、蝴蝶點綴其中。畫幅左上方緙"趙昌製"三字款及"趙昌"、"玉川"小印兩方。
現藏故宮博物院。

[紡織品]

明（公元一三六八年至公元一六四四年）

[紡織品]

明（公元一三六八年至公元一六四四年）

緙絲花卉圖

明
高41、寬42.5厘米。
圖冊共六幅，選二幅。淺黃色緙絲地，構圖簡潔，用寫意的手法緙織出山石、花草及飛蝶。
現藏故宮博物院。

【紡織品】

緙絲山茶雙鳥圖
明
高23.4、寬20.5厘米。
白地上緙織一株山茶，山茶枝上并立兩隻鳥。
現藏臺北故宮博物院。

緙絲桃花雙鳥圖
明
高25.7、寬23.3厘米。
藍地緙織雙雀桃花紋樣。
現藏臺北故宮博物院。

明（公元一三六八年至公元一六四四年）

【 紡織品 】

明（公元一三六八年至公元一六四四年）

緙絲桃花雙雀圖
明
高23、寬21厘米。
白地上緙織雙雀在一株桃枝上歡騰吱叫的景象。暈色處理得當，花朵爲紅、粉二色相暈，葉片爲深綠、淺綠、土黃三色相暈，雀身爲深棕、淺棕、白色相暈。
現藏臺北故宮博物院。

緙絲芙蓉雙雁圖
明
高70.2、寬64.4厘米。
寶藍色地，緙織湖邊小景。
現藏臺北故宮博物院。

372

[紡織品]

明（公元一三六八年至公元一六四四年）

緙絲牡丹綬帶圖（右圖）
明
高145.1、寬54厘米。
以玉蘭、海棠、牡丹、壽山石、綬帶鳥寓意富貴壽考，用于祝壽。小草、綬帶、羽毛和山苔等另以毛筆加染。現藏遼寧省博物館。

緙絲歲朝花鳥圖
明
高166.5、寬71.5厘米。
本色地上緙織梅花、山石、雙雀、竹葉及山茶，梅花枝幹及雀羽等多處添筆。兩雀立于石上。此選爲局部。現藏臺北故宮博物院。

373

[紡織品]

緙絲仙桃圖
明
高82.7、寬43厘米。
靛藍色地,緙織一帶雙桃的桃枝,構圖簡潔。幅中部緙織七言絕句一首,蓋"沈氏啓南"印;上塘綉兩首七言絕句,分別蓋"睎哲"及"玄敬"印。
現藏臺北故宮博物院。

緙絲花鳥圖
明
高115.1、寬54.8厘米。
此幅爲一岸邊小景;沙灘上立一雙引頸張望的鴛鴦,水中荷花亭亭玉立,兩隻綬帶鳥栖息在石榴樹梢上。
現藏臺北故宮博物院。

[紡織品]

緙絲鳳雲圖
明
高66.8、寬36.7厘米。
此圖案爲鳳鳥祥雲，色澤艷麗，圖案精美。

緙絲佛像（右圖）
明
高54、寬14.1厘米。
本色地上緙織祥雲、寶蓋及一佛像圖案，基本顏色爲黃褐、淺藍、深藍、白色及黑色。
現藏南京博物院。

明（公元一三六八年至公元一六四四年）

[紡織品]

明（公元一三六八年至公元一六四四年）

緙絲八仙拱壽圖
明
高100、寬45厘米。
圖軸上方一南極仙翁駕鶴飛來，下方緙絲八仙人物，分作左右兩組，皆抬首望天，有的手擎靈芝，有的高舉葫蘆，多數拱手相拜。
現藏故宮博物院。

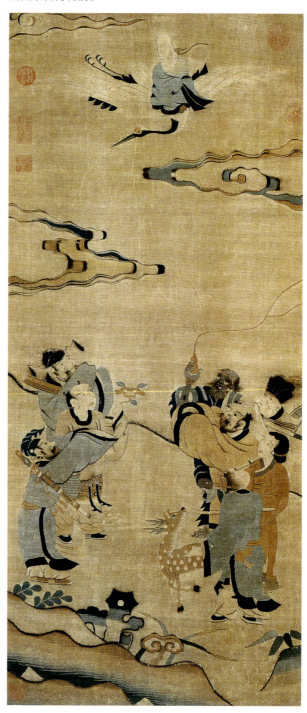

緙絲東方朔偷桃圖
明
高58.5、寬33.5厘米。
白地，彩綫緙織圖案，正中爲鬚髮飄拂、寬衣廣袖的東方朔形象。他手持桃子，邊跑邊回頭張望，似乎怕有人追來。背景上露出挂滿桃子的樹枝，正好與東方朔手中之桃相呼應。
現藏故宮博物院。

[紡織品]

緙絲仙山樓閣圖
明
高127、寬39厘米。
白色地上緙織仙山樓閣圖案，遠山處白雲繚繞，仙鶴飛翔。
現藏故宮博物院。

緙絲仇英水閣鳴琴圖
明
高138.3、寬54.9厘米。
原色半熟絲地，采用明代著名畫家仇英的作品為粉本，緙織而成，多處運用渲染和補筆手法。遠景為高山流瀑，近景為水榭亭臺，內有多個戴冠人物，旁有小童侍候。
現藏遼寧省博物館。

明（公元一三六八年至公元一六四四年）

[紡織品]

明（公元一三六八年至公元一六四四年）

顧綉韓希孟刺綉花鳥圖册
明
每幅高25.2、寬23.7厘米。
選二幅。素色緞地，五彩絲綫織成花鳥圖案，上幅有"韓氏女紅"章。韓希孟是十七世紀中期著名的刺綉藝術家。
現藏遼寧省博物館。

【紡織品】

顧綉韓希孟花鳥圖冊
明
每幅高30.3、寬23.9厘米。
選二幅。一幅為"花草蛺蝶",另一幅為"鯰魚水藻"。
現藏上海博物館。

明（公元一三六八年至公元一六四四年）

[紡織品]

明（公元一三六八年至公元一六四四年）

顧綉韓希孟宋元名迹
明
每幅高33.4、寬24.5厘米。
選二幅。以白色素綾爲地，五彩絲絨綫綉花，每幅有"韓氏女紅"章，對頁有董其昌題贊，册尾有韓希孟夫顧壽潛題跋。現藏故宫博物院。

衣綫綉荷花鴛鴦圖
明
高135.5、寬53.7厘米。
湖色纏枝牡丹暗花緞作底,用較粗的加捻雙股彩綫綉蝴蝶、芙蓉、荷花及鴛鴦圖案。
現藏故宮博物院。

顧綉董題韓希孟阿彌陀佛圖
明
高54.5、寬26.7厘米。
素緞地,圖中刺綉一坐在蒲團上的彌勒形象:身着百衲衣,一手持念珠,一手拿布袋,圖上方有董其昌題贊。
現藏遼寧省博物館。

[紡織品]

明（公元一三六八年至公元一六四四年）

衣綫繡芙蓉雙鴨圖
明
高140、寬57厘米。
繡底爲淺玉色折枝花鳥紋暗花緞，圖案上部爲下垂的芙蓉花枝，下有雙鴨浮游，一仰天鳴叫，一低頭望水。
現藏故宫博物院。

刺繡梅竹山禽圖
明
高130.5、寬54.5厘米。
白地上綉一株老梅，鳥雀佇立枝頭。
現藏臺北故宫博物院。

382

【 紡織品 】

明（公元一三六八年至公元一六四四年）

灑綫綉雲龍紋雲肩
明
高148.5，寬144厘米。雲肩爲柿蒂形，紅色紗爲底襯，以十餘色綫綉製圖案。圖案正中爲戲珠過肩龍兩條，間飾靈芝紋。四周爲海水江牙紋和雜寶紋。
現藏故宮博物院。

納綉過肩雲龍"喜相逢"
明
二龍頭尾相對，龍眉呈筆架形，龍尾蓬鬆。
現藏私人處。

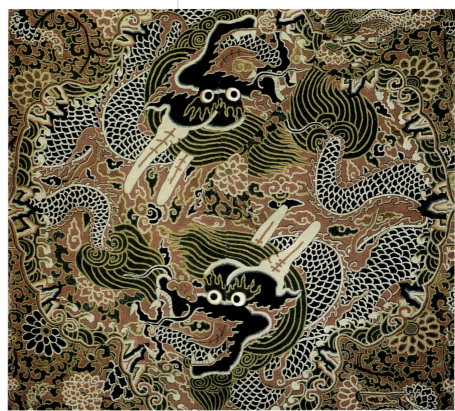

383

[紡織品]

明（公元一三六八年至公元一六四四年）

灑綫綉綠地五彩仕女鞦韆圖
明
長35、寬32.5厘米。
紅色直經紗爲底襯，用果綠色綫綉地，在其上綉"仕女鞦韆圖"。仕女立于鞦韆上，侍女推蕩鞦韆，四周襯茶花、桃花和如意雲紋等。
現藏故宮博物院。

灑綫綉鵲橋相會圖
明
長32、寬12厘米。
紅色直經紗爲底襯，上綉"鵲橋相會圖"。畫面中牛郎織女爲仙人裝束，在侍者引導下來鵲橋相會。應爲"七夕"應景補子。
現藏故宮博物院。

384

[紡織品]

明（公元一三六八年至公元一六四四年）

刺綉元宵節令燈籠景補子
明
直徑36厘米。
畫面中間爲一大燈籠，燈籠兩旁有兩條龍游。
現藏私人處。

刺綉天鹿紋補子
明
高37、寬39厘米。
天鹿身有鱗，扭頭揚蹄。
現藏私人處。

[紡織品]

明（公元一三六八年至公元一六四四年）

■ 衣綫綉獬豸紋補子
明
高38、寬40.5厘米。
獬豸張嘴吐舌，氣勢凶獰，
眼部用孔雀羽綫作輪廓。
現藏私人處。

■ 灑綫綉龍紋方補子
明
高38、寬38厘米。
龍眼空出，龍紋造型豪放，
色彩濃重、鮮明，雲紋不露
空地。
現藏私人處。

386

【 紡織品 】

納綉天鹿紋補子
明
高29、寬26厘米。
圖中天鹿臥姿，身飾龜背紋，周圍飾如意雲紋，身下飾海水江牙紋。
現藏故宮博物院。

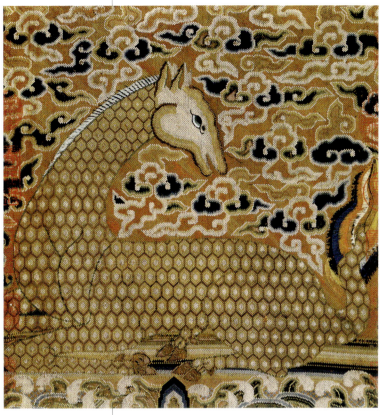

納綉麒麟紋補子
明
長38、寬38厘米。
直經方孔紗地上納綉麒麟、祥雲和海水江牙紋。
現藏北京藝術博物館。

明（公元一三六八年至公元一六四四年）

387

[紡織品]

明（公元一三六八年至公元一六四四年）

刺繡西方廣目天王像
明
高250.8、寬247.7厘米。
棕紅色緞地上滿布雲紋，中央是叉足而立的廣目天王。天王頭戴鳳翅盔，一手執弓，一手執箭，衣服上飾游龍戲珠紋及雲紋裝飾。
現藏中國國家博物館。

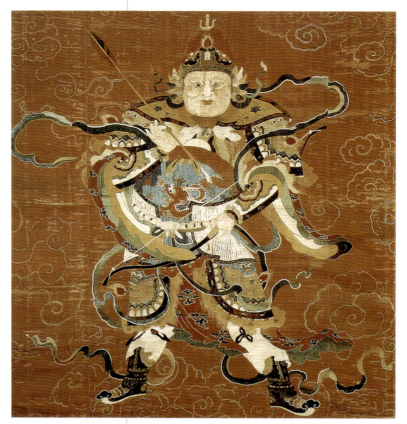

刺繡大威德怖畏金剛像
明
高79、寬63厘米。
深藍色地，繡赤足叉立的大威德怖畏金剛像。金剛九頭三十六臂十六足，頭戴化佛冠，手持各種法器，長蛇繞身，腰佩骷髏長鏈。上方有七彩祥雲繚繞，左右各繡一坐佛像。
現藏西藏自治區拉薩市布達拉宮。

[紡織品]

刺繡喜金剛像
明
高60、寬49厘米。
喜金剛像爲八面十六臂，擁妃作雙身修。頭飾骷髏，脚踏四外道神，主尊金剛上綉大鵬展翅，左、右邊沿和下邊各綉八寶圖案。
現藏西藏自治區羅布林卡。

明（公元一三六八年至公元一六四四年）

[紡織品]

刺繡大威德怖畏金剛像
明
高146、寬76厘米。

爲文殊菩薩化身之大威德怖畏金剛像，化爲九頭三十六臂十六足，是玖洛扎瓦（譯師）的本尊像。
現藏美國紐約大都會博物館。

明（公元一三六八年至公元一六四四年）

貼綾綉大白傘蓋佛母像
明
高70、寬47厘米。
佛母端坐蓮臺上，面部渾圓飽滿，有三目，上身赤裸，一手持傘，一手輕拂飄帶，圓形頭光和背光。天空中祥雲旭日，蓮座前浪花翻滾。
現藏西藏自治區拉薩市布達拉宮。

紅地龜背團龍鳳紋織金錦佛衣披肩
明
衣長43、領高8、肩寬70、胸寬78.5、飄帶長42、寬6.8厘米。
此件佛衣以龍鳳團窠紋織金錦爲面，綠地暗花錦鑲邊，領處綴兩條絲帶，胸前綴襻一道，右邊爲紅絲襻，左邊爲珊瑚圓扣。
現藏故宮博物院。

[紡織品]

清（公元一六四四年至公元一九一一年）

黃緞織彩雲金龍紋皮朝袍
清
身長150、兩袖通長194厘米。
黃色緞面，天馬皮裏，披領及下裳褾以紫貂皮。袍身以金綫織金龍，以五色綫織彩雲和海水江牙紋。此袍爲康熙皇帝所用。
現藏故宮博物院。

石青紗彩雲金龍紋單朝袍（左圖）
清
袍長146、袖長101厘米。
盤領，上衣下裳式，保留了具有滿族風格的披肩和馬蹄袖，下擺兩側開衩。石青色紗面料，領緣、袖緣及擺緣均鑲片金雲龍八寶圖案花紋帶邊，胸、背及袖飾團龍紋，中腰及下擺間飾海水、雲龍紋。此袍爲康熙皇帝所用。
現藏故宮博物院。

【紡織品】

清（公元一六四四年至公元一九一一年）

緞織彩雲金龍紋夾朝袍
清
袍長146，兩袖通長193厘米。
石青色緞面，袍面彩織金龍、彩雲和海水江牙等圖紋，組合成柿蒂形。此袍為雍正皇帝所用。
現藏故宮博物院。

緙絲彩雲金龍紋單朝袍
清
身長144，兩袖通長194厘米。
圓領，右衽，馬蹄袖，有披領。藍色緙絲面，袍身用金綫緙織金龍紋，用五彩綫織祥雲平水，十二章分布其間。此袍為乾隆皇帝所用。
現藏故宮博物院。

393

[紡織品]

清（公元一六四四年至公元一九一一年）

明黃紗繡彩雲金龍紋朝袍
清
身長79、兩袖通長114厘米。
此袍爲幼年皇帝所著。明黃色紗面，袍身繡金龍紋。
現藏故宮博物院。

明黃紗繡四團金龍紋夾褂
清
身長92、兩袖通長87厘米。
明黃色紗面。前胸、後背和兩肩繡金龍頂壽圖四團。
現藏故宮博物院。

[紡織品]

清（公元一六四四年至公元一九一一年）

石青緞四團緝珠雲龍紋皮褂
清
身長109，兩袖通長146厘米。
石青色緞面，內鑲銀鼠皮裏。前胸、後背及兩肩用珍珠和珊瑚等緝綴雲龍紋四團。此件為康熙皇帝所用。
現藏故宮博物院。

石青緞四團緝珠雲龍紋皮褂局部

395

[紡織品]

清（公元一六四四年至公元一九一一年）

藍緞織金子孫龍紋龍袍
清
身長157、兩袖通長196厘米。
交領右衽。藍緞地。上織蟒戲珠紋，間飾祥雲紋等紋飾。下擺飾海水江牙紋。
現藏首都博物館。

明黃緞綉彩雲金龍紋龍袍
清
身長144、兩袖通長174厘米。
圓領右衽。明黃色緞面。上綉九條大龍，周圍點綴祥雲、蝙蝠和雜寶等紋飾。下擺綉海水和壽山紋。
現藏北京藝術博物館。

【紡織品】

清（公元一六四四年至公元一九一一年）

緙金"卍"字龍紋龍袍
清
袍長150，通袖寬200厘米。
袍以明黃色緙絲"卍"字紋爲地，施三色捻金綫緙織龍、蝙蝠、靈芝雲、十二章、海水江牙、立水八寶紋飾，以黄色三枚團龍江綢爲裏。
現藏首都博物館。

藍色江綢平金銀夾龍袍
清
身長143，兩袖通長190厘米。
藍色江綢面，袍身用平金法和嵌螺鈿工藝綉金、銀龍紋和纏枝菊花紋。
現藏故宫博物院。

397

[紡織品]

清（公元一六四四年至公元一九一一年）

黄紗雙面綉彩雲金龍紋單龍袍

清

身長140,兩袖通長190厘米。黃色紗面，袍身以雙面綉在前胸、後背及兩肩各綉正龍一條，下襟綉行龍四條，裏襟綉行龍一條。袍身下部飾海水江牙和八寶立水紋。通身點綴流雲飛蝠。此袍爲乾隆皇帝所用。現藏故宫博物院。

黃紗雙面綉彩雲金龍紋單龍袍局部之一

黃紗雙面綉彩雲金龍紋單龍袍局部之二

【 紡織品 】

絳色緞綉彩雲龍紋龍袍
清
袍長141、通袖長214厘米。
圓領斜襟右衽，以絳色素緞爲地，上施緝米珠綉九龍、捻金綫綉壽字、五彩絲綫綉蝙蝠、靈芝頭雲紋及海水江牙；製作上采用了釘綫綉、穿珠綉、套針、戧針、打籽、釘金和纏針等刺綉方法。
現藏首都博物館。

緙絲明黃地八寶雲龍紋吉服袍料
清
身長154、兩袖通長138厘米。
緙織明黃色袍面。袍身上部緙織過肩正龍紋，間飾彩雲及八寶紋，袍身正中織二龍戲珠紋，下擺織海水江牙紋。
現藏故宮博物院。

清（公元一六四四年至公元一九一一年）

【 紡織品 】

清（公元一六四四年至公元一九一一年）

緙絲藍地百壽蟒紋吉服袍料
清
長312、寬140厘米。
緙織藍色袍面。正中緙織正蟒和二蟒戲珠紋，間飾彩雲及金"壽"字。下擺織海水江牙紋。
現藏故宮博物院。

緙絲明黃地雲龍紋吉服褂料
清
身長145、兩袖通長140厘米。
明黃色地子。緙織二龍戲珠紋，龍首上頂金"壽"字，間飾雲龍紋。下擺織海水江牙紋。
現藏故宮博物院。

[紡織品]

清（公元一六四四年至公元一九一一年）

金地綉五彩雲龍紋袍料
清
身長140、兩袖通長132厘米。
袍上綉龍戲珠紋，間飾八寶紋及"卍"字紋，下擺飾海水江牙紋。
現藏故宫博物院。

緙絲明黃地雲龍萬壽紋吉服袍料
清
身長117.5、兩袖通長127厘米。
緙織明黃色袍面。緙織龍紋，正龍頭頂"壽"字，前爪托"萬"字，下飾二龍戲珠紋，間飾流雲及"壽"字。
現藏故宫博物院。

401

[紡織品]

清（公元一六四四年至公元一九一一年）

石青緞繡彩雲藍龍紋甲
清
上衣長78、肩寬43厘米；下裳長92厘米。
由甲衣和圍裳兩部分組成。石青色緞面料，內絮絲綿，通身釘綴鎏金銅泡釘。全身用五彩綫繡龍紋，間飾祥雲、雜寶和海水江牙等紋樣。
現藏故宮博物院。

乾隆皇帝甲冑
清
甲長130、冑高63厘米。
這套甲冑用錦料製成。甲通體遍釘鎏金銅泡，由甲袖、甲裙、左右護肩、甲前胸、護心鏡、前後遮縫及左右護肋等十個部件組成。分上下兩部分，上部稱甲衣，下部稱圍裳。
現藏故宮博物院。

[紡織品]

清（公元一六四四年至公元一九一一年）

棕色緞織彩雲金龍紋女夾朝袍
清
身長135，兩袖通長170厘米。
棕色緞面，袍面以二至四色間暈與退暈相結合的裝飾方法，織金龍、彩雲和海水江牙等紋樣。
現藏故宮博物院。

明黃緙絲彩雲金龍紋綿女朝袍
清
身長139，兩袖通長174厘米。
袍身緙織金龍九條，間飾蝙蝠和五彩祥雲，下幅織海水江牙和雜寶紋。
現藏故宮博物院。

[紡織品]

清（公元一六四四年至公元一九一二年）

石青緞織彩雲金龍紋夾朝褂（右圖）
清
身長133，下幅寬173厘米。
石青色緞面，前、後身紋樣相同，上部妝花織立龍，中部和下部兩層爲行龍，另兩層爲由"卍"字、蝙蝠和團"壽"字組成的"萬福萬壽"紋。
現藏故宮博物院。

石青緞繡彩雲金龍紋夾朝褂
清
身長144、下擺寬123厘米。
圓領，對襟式。石青緞地，前後身各飾金龍二條，作立勢升騰狀，周圍繡七彩祥雲，下擺繡八寶平水。
現藏故宮博物院。

【 紡織品 】

紅紗滿納回紋地綉彩雲金龍紋夾褂

清
身長107、兩袖通長117厘米。紅色紗面，用明黃綫滿納回紋錦地，其上綉彩雲、金龍、"壽"字和"萬"字等紋樣。現藏故宮博物院。

紅紗滿納回紋地綉彩雲金龍紋夾褂正面

紅紗滿納回紋地綉彩雲金龍紋夾褂背面

清（公元一六四四年至公元一九一一年）

[紡織品]

清（公元一六四四年至公元一九一一年）

醬色緞織八團喜相逢夾褂
清
身長144，兩肩通長166厘米。
醬色緞面，褂面妝花織八團喜相逢彩蝶圖紋，
間飾鳳凰、蝴蝶、蝙蝠和四季花卉十餘種。
下幅飾壽石、鹿馱寶瓶、仙鶴和如意等。
現藏故宮博物院。

石青緞織八團藍龍金壽字錦褂
清
身長132、兩袖通長176厘米。
石青色緞面，褂面用緯綫挖棱法織八團藍龍金
"壽"字紋和海水江牙紋。
現藏故宮博物院。

406

[紡織品]

石青緙絲八團燈籠紋綿褂
清
身長142，兩袖通長176厘米。
石青色緙絲面，褂面以雙色捻綫緙織八團燈籠紋，燈籠內飾海屋添籌、紅蓼壽石等內容。下幅織蝙蝠、花卉、壽石和八寶立水等。
現藏故宮博物院。

石青緙絲八團燈籠紋綿褂局部

清（公元一六四四年至公元一九一一年）

407

【 紡織品 】

石青緞繡串米珠八團龍褂
清

褂長140、兩袖通長180、袖口25、下擺寬116、後開裙長78厘米。
圓領，對襟，後開裙，闊袖，直身。以石青色素緞作面料，在前胸、後背、兩肩及前後襟處用米珠繡團龍十二條。袖口處裝飾行龍兩條，下擺繡海水江牙及雜寶紋。
現藏故宮博物院。

綠緞繡花卉紋綿袍
清

身長156，兩袖通長176厘米。
綠色緞面，袍面繡牡丹、月季、海棠、菊花和梅花等四季花卉，間飾蝴蝶和小折枝花。
現藏故宮博物院。

【紡織品】

清（公元一六四四年至公元一九一一年）

粉紫紗綴繡八團夔龍紋單袍
清
身長147，兩袖通長150厘米。
粉紫色紗面，前胸、後背綴繡八團花卉夔龍紋，團花正中爲"卍"、"壽"字，上爲蝠磬紋，下爲牡丹花，四周環飾夔龍紋。
現藏故宮博物院。

粉紫紗綴繡八團夔龍紋單袍局部

409

[紡織品]

清（公元一六四四年至公元一九一一年）

紅緞綉八團夔鳳花卉紋便服袍料

清
長295、寬154厘米。
紅色緞面。上綉夔鳳、雲、靈芝、八吉祥、海水江牙及口銜桃、勾蓮的蝙蝠組成的主體花紋八團。團花之間和下擺飾靈芝、壽石、蝙蝠及各種花卉等紋飾。
現藏故宮博物院。

藍紗納綉花卉紋單氅衣

清
身長138，兩袖通長181厘米。
淺藍色紗面，納紗綉牡丹、海棠、菊花和梅花等四季花卉，間飾蝴蝶和小折枝花。
現藏故宮博物院。

[紡織品]

清（公元一六四四年至公元一九一一年）

淺雪青緞綉水仙壽字氅衣

清

身長145、兩袖通長134、下擺周長230厘米。
圓領，右衽，大襟，短袖，腋下兩側開氣，面料爲淺雪青緞綉水仙和金團壽字，領緣、袖緣、襟緣、擺緣及開氣兩側裝飾三至四道花絛，兩腋下各有一個彩色花絛攢成的大雲頭。
現藏故宮博物院。

明黃緞綉蘭桂齊芳紋夾氅衣

清

身長104，兩袖通長114厘米。
明黃色緞面，通體用套針、平針、釘針和平金等針法綉桂花和紫玉蘭花。
現藏故宮博物院。

【 紡織品 】

清（公元一六四四年至公元一九一一年）

青蓮紗綉折枝花蝶大鑲邊女氅衣
清

衣長133、兩袖通長120、下擺寬78、領口寬14、領深10厘米。

立領，右衽，大襟，短袖，下擺兩側開氣。面料爲藕荷色麻紡絞經紗，裝飾圖案前後内容相同，均爲蝴蝶、蜀葵、菊花和四季海棠，領口、袖口及大襟兩側綴以三層并行的花邊。

現藏清華大學美術學院。

寶藍地金銀綫綉整枝荷花大鑲邊女氅衣
清

衣長136、袖長61.7、下擺寬82厘米。

立領，右衽，大襟，窄袖，前後身及兩袖用金銀綫綉整枝荷花，形象寫實兼具象徵意味，領、袖、襟及擺緣均鑲荷花壽字及梅花壽字紋邊。

現藏中國國家博物館。

[紡織品]

清（公元一六四四年至公元一九一一年）

淺駝色直經紗彩綉牡丹紋女單袍
清
袍長133、袖長63.5、袖口寬24.5、腰寬69、下擺寬102厘米。
圓領，右衽，大襟，短袖，淺黃色納紗綉袍面，通身飾淺藍、淺紫及淺綠色折枝牡丹，領、袖及襟緣滿飾三層花縧。
現藏瀋陽故宮博物院。

青地折枝花蝶妝花緞女帔
清
衣長114、兩袖通長225、袖口寬43、下擺寬108、左右裾各長63厘米。
這件女帔是清宮所藏的戲衣。長領，對襟，直身式，兩袖肥大。袍面為青地妝花緞，運用小梭挖花的方法，在前襟、兩袖等部位織出各種折枝花卉，花間有彩蝶飛舞。
現藏故宮博物院。

413

[紡織品]

清（公元一六四四年至公元一九一一年）

刺繡戲裝宮衣

清

衣長145、兩袖通長224、袖口寬55、領口寬12、領口深12、腰圍120厘米。

宮衣是戲衣的一種。此件宮衣爲立領，對襟，上衣下裙相連的直身式，兩袖肥大。上衣爲霞紅色緞面，領部繡三層如意形雲肩，袖口綴十一條彩色刺繡花邊，腰部繡有二十四種雜寶組成的飾物帶。

現藏清華大學美術學院。

玄青緞雲肩對襟大鑲邊女棉褂

清

衣長96、兩袖通長136、下擺寬93、領口寬11、領深9厘米。

圓領，大襟，短而寬大，腋下兩側開氣。面料爲素色玄青緞，領口周圍彩繡如意形雲肩，對襟兩側、挽袖、擺緣及開氣處繡寬大的多重彩色邊飾。

現藏清華大學美術學院。

414

[紡織品]

清（公元一六四四年至公元一九一一年）

天青紗大鑲邊右衽女夾衫

清

衣長93、袖長66.5、下擺寬93厘米。

立領，右衽，雙排扣，寬短袖。面料爲暗花天青紗，領圍、袖口、襟邊、擺緣及開氣處都綉有寬幅縧子花邊，并綉雙道黑條紋。現藏中國國家博物館。

湖色綢綉海棠水草金魚紋氅衣料

清

身長148、兩袖通長228厘米。

以湖色綢爲面料。上綉蘆葦、浮萍、水草、海棠及金魚等紋飾。現藏故宫博物院。

415

[紡織品]

明黃緞綉彩葡萄蝴蝶紋氅衣料

清
長304、寬148厘米。
明黃色緞面。上綉果實飽滿的葡萄，葡萄間飾飛舞的蝴蝶。
現藏故宮博物院。

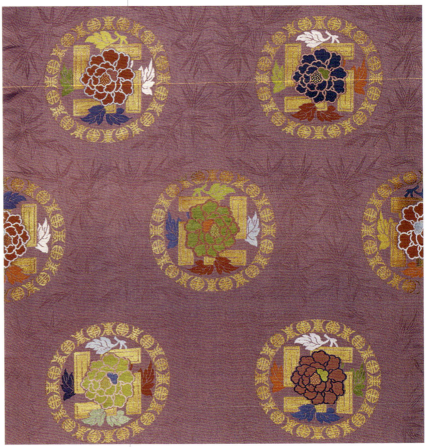

雪青地富貴萬年紋妝花緞氅衣料

清
雪青色暗花緞地。紋飾爲在以長圓"壽"字紋圍成的圓環内飾"卍"字和牡丹紋。
現藏故宮博物院。

[紡織品]

清（公元一六四四年至公元一九一一年）

雪灰綢綉五彩博古紋對襟緊身料

清

長78、寬144厘米。

雪灰色綢為面料。上綉罐、盤、筆筒、壺、古幣、花盆、古琴、鼎、書畫等博古紋。在花盆、鼎、盤等器物內分別飾桃子、柿子、珊瑚及各種花卉紋等紋飾。此圖為局部。

現藏故宮博物院。

紫色漳絨福壽三多紋夾緊身

清

身長76，下擺寬78厘米。

圓立領，右衽，左右開裾漳絨面，面料以絨圈為地，割絨顯花，以石榴、佛手和壽桃組成"三多紋"，寓意"多子、多福、多壽"，以牡丹、飄帶、蝙蝠、"卍"和團"壽"字等紋樣，寓意"福壽萬代"。

現藏故宮博物院。

417

[紡織品]

清（公元前一六四四年至公元一九一一年）

石青緞平金綉雲鶴紋夾褂襉（右圖）
清
身長132，下幅寬119厘米。
石青色緞面，褂面用平金、釘針和平綉等針法綉六組雲鶴紋。
現藏故宮博物院。

玄青地潮綉金龍對襟女坎肩
清
衣長110、肩寬45、下擺寬80厘米。
圓領，對襟，雙開氣。面料爲藏青緞，前後身布滿圓金盤成的騰龍、仙鶴、海水及鰲魚圖案，下擺連綴五色網狀纓穗，領口處有盤扣，兩襟正中繫帶。
現藏清華大學美術學院。

418

[紡織品]

清（公元一六四四年至公元一九一一年）

織銀琵琶襟女坎肩
清
前長52、後長53、腰寬51、下擺前寬59、後寬54、袖籠寬28厘米。
高立領，右衽，雙排扣，下擺左右開氣，面料爲藍地織錦銀絲花緞，粉紅色絲綢裏子。領緣、襟緣及坎肩周圍均鑲三道藕荷色波紋邊。
現藏中央民族大學民族研究所。

升平署紅緞織金彩綉女戲衣
清
這是清代宮內演戲時旦角的着裝之一。基本爲明代衣冠樣式，色彩濃艷華麗，很有舞臺效果。
現藏故宮博物院。

419

[紡織品]

清（公元前一六四四年至公元一九一一年）

雪青地三藍綉蝶戀花馬面裙
清

裙長100、腰圍96、下擺寬175厘米。
裙料爲雪青色柿蒂紋暗花綢，沿腰緣綴以縱向黑緞條帶，沿擺緣及黑色條帶鑲青緞地綉花邊飾，邊飾之間飾縱向折技花草，前後馬面爲牡丹紋地綉彩蝶紋。
現藏清華大學美術學院。

黃暗花湖縐刺綉花蝶紋馬面裙
清

裙長98、腰圍寬122、下擺寬81厘米。
裙料爲明黃色暗花縐，裙擺綉散點花卉、飛蝶及蝙蝠，鑲花草爲飾邊，兩幅馬面上綉花卉蝴蝶紋，周鑲織花帶及黑緞邊。
現藏中國國家博物館。

[紡織品]

清（公元一六四四年至公元一九一一年）

白暗花綢彩繡人物花草紋百褶裙
清
裙長95、腰圍74、下擺寬190厘米。
裙料爲白色真絲暗花綢，裙擺下半部繡散點式花卉，前後各垂一幅馬面，圖案相同，爲寓意"連中三元"的山水人物。沿裙下擺及馬面邊緣綴天青緞地繡花邊飾。
現藏清華大學美術學院。

深青地白散花印花百褶裙
清
裙長100、腰圍88、下擺寬114厘米。
深青色地，飾小白散花。
現藏清華大學美術學院。

421

[紡織品]

清（公元前一六四四年至公元一九一一年）

黃緞地平金五彩釘綾綉法衣
清
長123、寬138厘米。
此衣直領對襟，袖與衣身通直。黃色五枚緞地，後襟平金綉各種神獸、星辰及如意雲等。後襟方補以五彩釘綉五層塔爲中心團窠，外綉三清和象徵日、月的金烏、玉兔，采用了釘綾綉、釘金綉及釘金箔等技法。
現藏首都博物館。

黃緞地平金五彩釘綾綉法衣背面

422

[紡織品]

清（公元前一六四四年至公元一九一一年）

道士巫衣
清
長130、寬206厘米。
中央綉有玉帝、天庭，衆仙作不對稱構圖，山石兩邊綫作垂直綫處理。
現藏私人處。

道士巫衣背面

清（公元前一六四四年至公元一九一一年）

如意帽

清

高12-15、直徑18-20厘米。
帽以六片緞縫合而成，紅絨結頂，寓意"六合一統"。
帽上紋樣用珊瑚米珠打綴或刺繡而成。選二頂。
現藏故宮博物院。

[紡織品]

清（公元一六四四年至公元一九一一年）

鳳頭靴
清
高48、長25厘米。
鳳頭立于靴尖，靴幫綉鳳翅，靴靿綉荷花。
現藏故宮博物院。

魚紋鞋
清
高7、長21厘米。
鞋身巧妙綉魚紋。
現藏故宮博物院。

鳳頭鞋
清
高12、長22厘米。
鞋頭綉鳳凰，鞋幫綉纏枝花卉。
現藏故宮博物院。

425

[紡織品]

清（公元前一六四四年至公元一九一一年）

刺繡龍鳳紋高勒襪
清
高58、長24厘米。
深綠色緞地，上綉龍、鳳和海水江牙等紋樣。
現藏故宮博物院。

刺繡鳳紋高勒襪
清
高56、長24厘米。
藍色緞地，上綉團鳳和流雲紋。
現藏故宮博物院。

粉紅地雙獅球路紋宋式錦（上圖）
清
長69、寬75厘米。
粉紅色地。上織獅球路紋，球路中心為雙獅戲球紋，間飾夔龍紋、公雞紋、奔兔及折枝花卉。
現藏故宮博物院。

深藍地盤縧朵花紋織金錦
清
長58.5、寬76.5厘米。
深藍色地。上織盤縧紋骨架，內飾蓮花與菊花紋。
現藏故宮博物院。

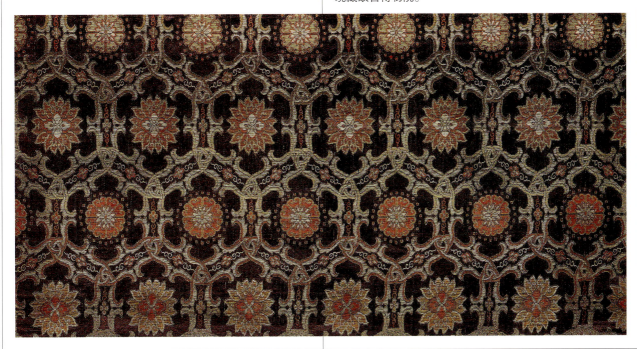

【 紡織品 】

清（公元一六四四年至公元一九一一年）

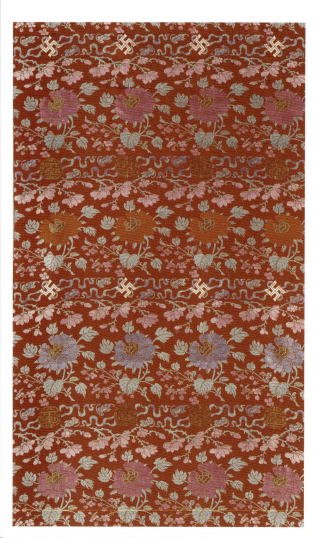

紅地折枝玉堂富貴萬壽紋織金錦
清
紅色地。上織折枝玉蘭、海棠和牡丹等花卉，間飾蝙蝠紋、"卍"字飄帶紋和"壽"字紋。
現藏故宮博物院。

藍地團龍八寶紋天華錦
清
長25.2、寬14厘米。
藍色地。上織團龍戲珠紋，間飾法螺、寶傘、盤長、法輪等八寶和寶相花紋。
現藏故宮博物院。

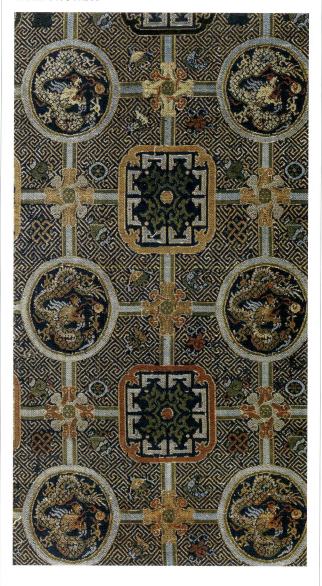

【 紡 織 品 】

藍地靈仙祝壽紋錦
清
長42、寬33.5厘米。
藍色地。上織靈芝、水仙、竹子、桃子和牡丹花等紋飾。
現藏故宮博物院。

錦群地三多花卉紋錦
清
全長178、寬75厘米。
此錦以彩色幾何填花紋為地，上織纏枝牡丹、菊花和寶仙等花卉，花頭上分別托桃子、石榴、蓮蓬或佛手。
現藏故宮博物院。

清（公元一六四四年至公元一九一一年）

429

[紡 織 品]

清（公元前一六四四年至公元一九一一年）

淺絳地金銀花紋織金錦
清
長96、寬54厘米。
淺絳色地。上織瓜、石榴、柿子、西洋花卉及銀色菱形花紋。
現藏故宮博物院。

黃色地纏枝牡丹紋金地錦
清
長284、寬62.5厘米。
黃色地。上織花卉紋，主花爲牡丹和芙蓉，間飾海棠。
現藏故宮博物院。

[紡織品]

藍地燈籠紋錦
清
藍色地。上織五彩燈籠紋和流蘇紋，燈籠中分別飾"吉"、"壽"字和紅色蓮花紋，流蘇以如意和寶相花等雜寶紋組成。
現藏故宮博物院。

黃地折枝牡丹花紋錦
清
黃色地。上織折枝牡丹花紋。
現藏故宮博物院。

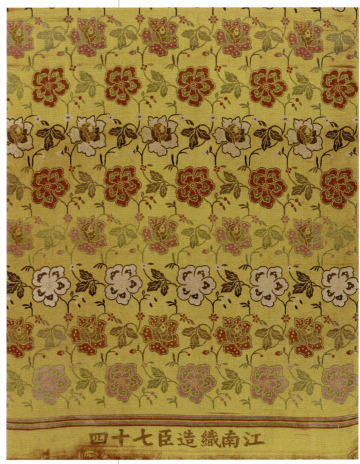

清（公元前一六四四年至公元一九一一年）

[紡織品]

清（公元前一六四四年至公元一九一一年）

蝴蝶富貴穿枝芙蓉妝錦
清
長40、寬30.5厘米。
蝴蝶在花叢中穿插飛舞。
現藏清華大學美術學院。

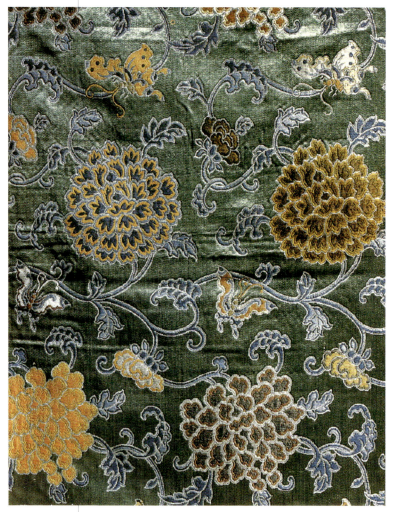

纏枝富貴福壽紋芙蓉妝錦
清
纏枝芙蓉間有蝙蝠飛舞，象徵"富貴福壽"。
現藏故宮博物院。

[紡織品]

清（公元前一六四四年至公元一九一一年）

彩色地富貴三多紋蜀錦
清
長288、寬72.5厘米。
彩色條紋地。上織牡丹、蝙蝠、石榴和壽桃紋飾。花紋交錯排列，兩排一循環。
現藏故宮博物院。

深棕色地織彩幾何朵花紋壯錦
清
長450、寬150厘米。
深棕色地。上織連續循環的幾何和龜背紋骨架，內飾朵花紋。
現藏故宮博物院。

433

[紡織品]

清（公元前一六四四年至公元一九一一年）

灰地纏枝花葉紋回回錦
清
長288、寬62厘米。
灰色地。圖中主題紋飾爲纏枝花葉紋，下部飾有整株的花葉紋。
現藏故宮博物院。

明黃地纏枝大洋花紋妝花緞
清
明黃色地。上織纏枝大洋花紋。"大洋花"因花和葉的造型和色彩均受西方藝術風格影響而得名，是乾隆年間十分流行的裝飾圖樣。
現藏故宮博物院。

[紡織品]

果綠地牡丹蓮三多紋妝花緞
清
果綠色地。上織纏枝牡丹和蓮花，間飾佛手、帶"卍"字壽桃、石榴、蝙蝠和雙錢紋等紋飾。
現藏故宮博物院。

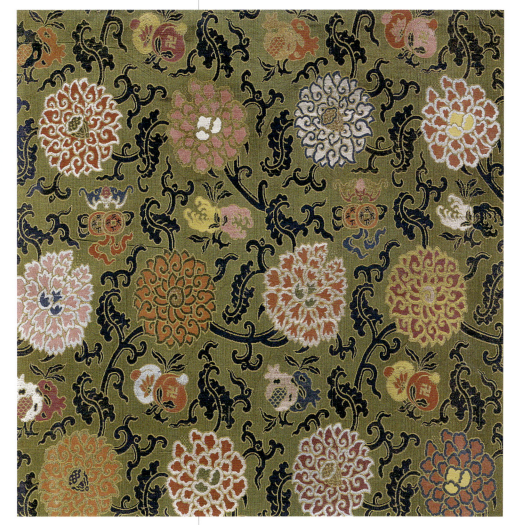

朵雲團蟒妝花緞
清
長54、寬20厘米。
團龍和雲紋兩種紋樣交替排列，每列隔以流雲紋。
現藏故宮博物院。

清（公元前一六四四年至公元一九一一年）

[紡織品]

清（公元前一六四四年至公元一九一一年）

寶藍地蘭蝶紋妝花緞
清
寶藍色地。上織蘭花和蝴蝶紋。
現藏故宮博物院。

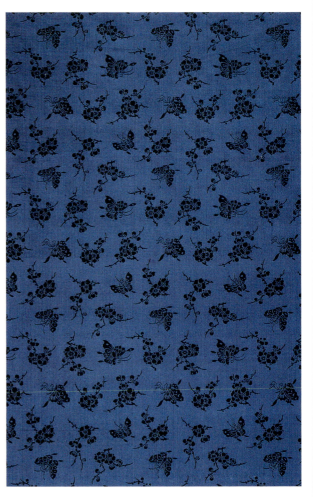

品藍地青折枝梅蝶紋二色緞
清
品藍色地。上顯花織交錯分布的梅花和蝴蝶紋。
現藏故宮博物院。

【 紡織品 】

清（公元前一六四四年至公元一九一一年）

鬥雞紋廣緞（上圖）
清
全長1664、寬73厘米。
花紋單位長19.1，寬9.4厘米。此緞以品藍色經綫和藍色緯綫交織成地紋，用紅、黃、藍和白等色絲綫織成橫向排列的鬥雞紋，兩雞爲一組，頭部相對，翅膀高聳，呈欲騰起相撲鬥狀，每層紋飾之間填以小團花圖案。
現藏故宮博物院。

綠地五彩串枝牡丹紋漳緞
清
全長896、寬74厘米。
漳緞爲一種緞地絨花織物。此件以淺綠色經面緞紋爲地，彩色絨經顯花，花紋中大面積爲割開的絨花，而邊緣爲未割開的絨圈。
現藏故宮博物院。

437

[紡織品]

清（公元一六四四年至公元一九一一年）

黄地纏枝菊妝花絨織成墊料

清

長118、寬58.5厘米。
香黄色絨地，織四方連續的五彩菊花，周圍繞以紅色"卍"字紋邊。
現藏故宮博物院。

五彩天鵝絨

清

全長220、寬66厘米。
此幅作品以黄色絨爲底，上織纏枝蓮花和金色蝙蝠。

[紡織品]

清（公元一六四四年至公元一九一一年）

紅地五彩織金妝花天鵝絨（上圖）

清

全長220、寬66厘米。

妝花是南京三大雲錦之一，其特點是在地緯之外，另用彩緯形成花紋，這種方法應用在絨地上即爲妝花絨。此幅作品爲紅地，上織五彩織金妝花。

寶藍地水仙花紋縧

清

面料爲寶藍地妝花緞，上綉連續的水仙花圖案，外用織金黑地捲草紋滾鑲。

現藏瀋陽故宮博物院。

[紡織品]

清（公元一六四四年至公元一九一一年）

描金宮絹
清
全長152.5、寬77厘米。
長方形朱地絹，飾描金纏枝紋。
現藏故宮博物院。

棉布
清
清代棉布種類較多，一般以棉、麻爲原料，經過紡紗織成布后，又經漿染、印花，成爲各種類型的布。此圖所展示的爲青地香蓮印花布和方格花布。

【紡織品】

綠地幾何紋和田綢
清
長180、寬38厘米。
綠色地。上織橢圓形團花紋，用色豐富鮮麗。
現藏故宮博物院。

彩織花樹紋和田綢
清
長179、寬38厘米。
綠色地。上織以鳳尾爲主體的花樹形花紋。
現藏故宮博物院。

[紡織品]

清（公元一六四四年至公元一九一一年）

彩織樹紋瑪什魯布
清
長386、寬41.8厘米。
圖案爲彩織幾何形紋飾，似流蘇又似花樹，紋飾間飾豎條紋。
現藏故宮博物院。

彩織豎條菱形紋瑪什魯布
清
長260、寬42.7厘米。
圖案爲流蘇一般的菱形花紋，花紋間飾豎條紋。
現藏故宮博物院。

布依族蠟染花邊

清

全長29、寬9.5厘米。

主紋爲縱向排列的鋸齒邊多重圓形幾何紋，兩側爲條帶形花邊。這種蠟染花邊多用于鑲袖口、袖筒及裝飾衣物。

現藏中央民族大學民族研究所。

蒙古族橘紅織錦緞女棉袍

清

内蒙古新巴爾虎左旗出土。

裙長117、兩袖通長190、腰寬56、下擺前寬99、後寬110厘米。

立領，右衽，大襟，蓬袖，馬蹄袖口，爲上衣下裳相連的直身式。面料爲橘紅色織錦花緞，圖案爲蟠桃和變形壽字，袖筒爲綠色織錦緞和大紅色織錦拼合，下擺緣鑲彩色條紋編織帶及黑色平絨邊。

現藏中央民族大學民族研究所。

[紡織品]

清（公元一六四四年至公元一九一一年）

蒙古族棕黃織錦女對襟長坎肩
清
衣長130、腰寬53、下擺寬94厘米。
圓領，對襟，腰左右側打順褶數道。面料爲黃黑兩色幾何紋金絲緞，腰中部鑲有一條紅色幾何形圖案的縧子邊，領口緣、袖籠緣、襟緣和腰部均鑲一道荷花紋縧子邊。
現藏中央民族大學民族研究所。

哈薩克族彩綉服裝
清
衣長142厘米。
哈薩克族人爲了騎馬方便，衣服一般都較肥大。這件衣服在大紅地上彩綉各式花卉圖案，色彩鮮艷。
現藏中國國家博物館。

【紡織品】

清（公元一六四四年至公元一九一一年）

達斡爾族綉花烟荷包
清
長20、寬6.5厘米。
這是達斡爾族人用來裝烟絲的荷包。用料精緻，製作十分考究。
現藏中國國家博物館。

布依族女套裝
清
衣長73、兩袖通長147、衣前擺寬50、後擺寬65、袖口寬20厘米。
上衣料為青色土布，交領，右衽，下擺呈弧形，領口、袖口、擺緣皆滾邊。下裝為百褶裙，由五十六塊補衣、蠟染、織花、綉花與色布打褶縫合而成。
現藏中央民族大學民族研究所。

445

[紡織品]

清（公元一六四四年至公元一九一一年）

黎族刺繡龍被
清
長180、寬45厘米。
龍被，黎族人用來蓋棺材的布料。這件龍被的面料用木棉粗綫織成，主體圖案爲對鳳和麒麟。其上下各綉多重花紋帶，有"卍"字紋、太陽紋、花卉紋、幾何紋等。現藏中央民族大學民族研究所。

黎族織花筒裙
清
裙長98、腰圍120厘米。
裙料爲五條織花布縱向連接。深藍色布上織黃褐色條帶紋及白色幾何紋，兩者相間排列，裝飾效果極强。現藏清華大學美術學院。

446

[紡織品]

黎族刺繡慶豐收紋女上衣
清
衣前長68、衣後長65、兩袖通長128、袖口寬21、腰寬63、下擺寬71厘米。

圓領，對襟，袖較寬短，下擺左右開氣。面料爲青色土布，兩袖各飾一道金色幾何紋花邊，衣身前後綉多幅花紋圖案，腰左右兩側各綉一變形字。
現藏中央民族大學民族研究所。

清（公元一六四四年至公元一九一一年）

黎族刺繡慶豐收紋女上衣右襟局部

黎族刺繡慶豐收紋女上衣左襟局部

[紡織品]

清（公元一六四四年至公元一九一一年）

苗族蠟染刺繡女衣
清
衣前長66、衣後長98、兩袖通長138、下擺寬86厘米。
長領，對襟，直袖，前襟短于後襟。領口至襟上部綴以繡花飾帶，前襟、兩袖及背部均爲蠟染幾何圖案，背后自腰部以下由幾何紋繡花帶連接成片。
現藏清華大學美術學院。

傣族翹尖繡花鞋
清
雲南勐海縣收集。
長22、寬8厘米。
鞋面由青、紅兩色布縫製而成，繡彩色花卉雲紋，鞋幫口沿有一道黑布邊，裏子爲本色土布，鞋底納白綫繩，白布包邊，繡彩色松葉。
現藏中央民族大學民族研究所。

【紡織品】

清（公元一六四四年至公元一九一一年）

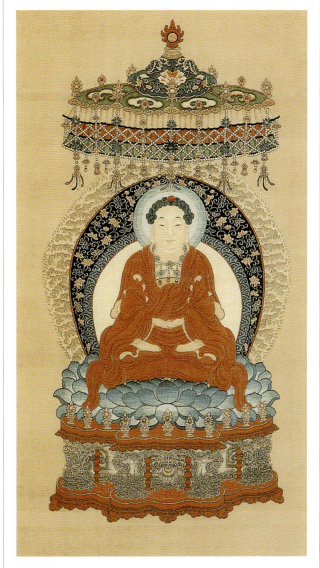

傣族女套裝
清
雲南勐海縣收集。
衣長48、兩袖通長145、兩袖口寬9、衣腰寬26、裙長100.1、裙圍124厘米。
面料爲粉紅地藍花提花緞，交領、右衽，窄長袖，翹擺。領緣、襟緣及擺緣皆鑲邊，下裝爲筒裙，由三截土布縫製而成。
現藏中央民族大學民族研究所。

緙絲佛像
清
高129.5、寬56.5厘米。
米色地上绣一坐佛像，頭頂立一華蓋，飾圓形頭光及背光，雙手作禪定印，結跏趺坐于蓮花寶座之上。
現藏南京博物院。

449

[紡織品]

清（公元一六四四年至公元一九一一年）

緙絲加繡觀音像

清

高147、寬60厘米。

圖中千手觀音着天衣彩裙，頸挂珠寶瓔珞，立于五彩祥雲環繞的蓮臺上，手持日、月、戟、斧、鏡、甘露瓶、盾牌和金剛杵等各式法器。

現藏故宮博物院。

緙絲四臂觀音像

清

高235、寬83厘米。

杏黄色地，畫面正中緙織一四臂觀音，結跏趺坐于蓮臺之上，背後有大舟形背光，背景爲散點朵花。佛座和蓮花下面有藏文祝辭。

現藏西藏自治區拉薩市布達拉宮。

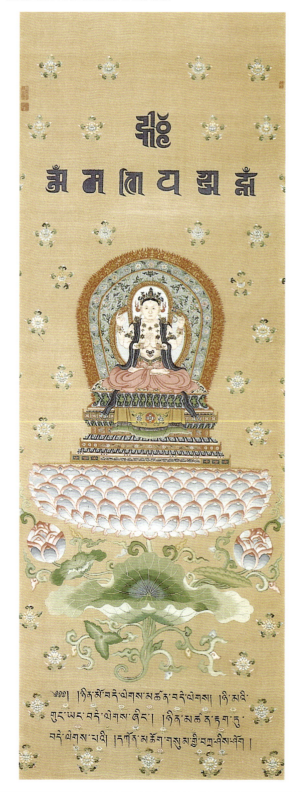

【紡織品】

緙絲仕女圖
清
高27、寬27厘米。
圖中一女子憑欄遠眺，身後梅樹枝椏盤曲，白花吐蕊。
現藏故宮博物院。

緙絲仙舟仕女圖
清
高70、寬102厘米。
圖中兩女子駕一葉小舟蕩漾在波濤中，舟中載有仙桃、牡丹花、玉蘭花和酒罐等。
現藏故宮博物院。

清（公元一六四四年至公元一九一一年）

[紡織品]

清（公元一六四四年至公元一九一一年）

緙絲周文王發粟圖
清
高117、寬43.9厘米。
畫面表現周文王在街井中派人發糧賑濟百姓的場面。
現藏故宮博物院。

緙絲海屋添籌圖
清
高114、寬69厘米。
圖中小橋橫跨，衆人簇擁三位白髮老者緩緩而行。
現藏故宮博物院。

[紡織品]

緙絲加綉三星圖

清

高411.8、寬135厘米。

整幅作品緙綉結合，圖上方緙乾隆題"三星圖頌"，中部爲仙山祥雲，下部爲福、祿、壽三星及兩童子，周圍有花草瑞獸。

現藏故宮博物院。

緙絲天官像

清

高174.9、寬100.8厘米。

天官長髯，穿攢花龍袍。

現藏遼寧省博物館。

清（公元一六四四年至公元一九一一年）

[紡織品]

清（公元一六四四年至公元一九一一年）

緙絲加繡九陽消寒圖
清
高212、寬112厘米。
圖上半部爲藍地，下半部爲牙白地，緙繡祥雲、松樹、桃花、人物及九羊圖案，寓意"冬去春來，陰消陽長"。
現藏故宮博物院。

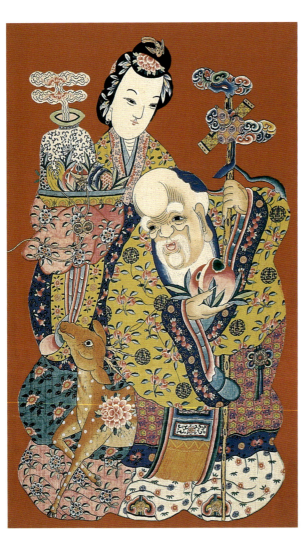

緙絲加繪麻姑獻壽圖
清
高142、寬82厘米。
畫軸地色與形象的外廓係緙織而成，輪廓綫內的花紋全係彩色描繪。
現藏清華大學美術學院。

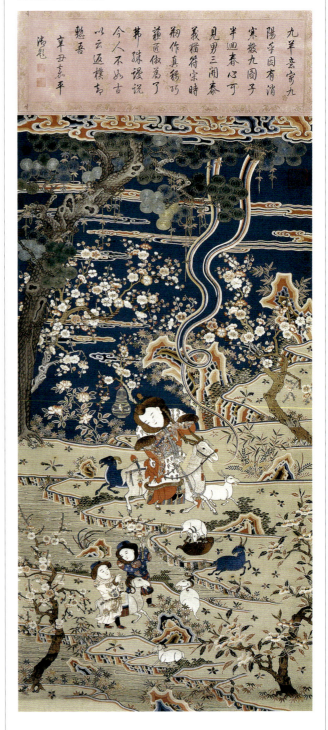

[紡織品]

緙絲沈周蟠桃仙圖
清
高152.7、寬54.6厘米。
畫面題材爲東方朔偷桃。上方織沈周題記及刻款，摹織一"石田"印。左下緙織八分款"吳門吳圻製"，印一"尚中"。
現藏臺北故宮博物院。

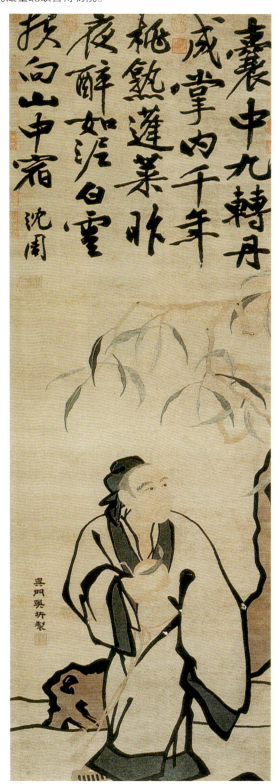

緙絲瑤池吉慶圖
清
長317、寬143.5厘米。
畫面爲西王母瑤池宴慶的場景。畫面上部西王母居中而坐，西王母下部飾仙山樓閣及儒、道、釋各種人物。
現藏北京藝術博物館。

[紡 織 品]

清（公元一六四四年至公元一九一一年）

紅地緙絲百子圖帳料
清
長178、寬170厘米。
整幅畫面有麒麟送子、琴棋書畫、放風箏和捉迷藏等多個場景。
現藏北京藝術博物館。

緙絲耕織圖
清
高77、寬127.2厘米。
挂屏爲藍色緙絲地，畫面表現了苗寨人民生活勞動的場面，右上角緙金"黔苗勤織"四字。
現藏故宮博物院。

[紡織品]

清（公元一六四四年至公元一九一一年）

緙絲歲朝圖（上圖）

清

高70、寬91厘米。

圖中緙織瓶、盆、盤等器物，內有梅花、水仙、百合、柿子等，并配如意和爆竹。

現藏故宮博物院。

緙絲鷺立蘆汀圖

清

高40、寬67厘米。

米色地，結合彩墨渲染，緙織出一幅鷺鷥在岸邊低頭飲水的圖景。本幅右上方緙織清弘曆五言律詩一首，下方緙織"乾"、"隆"連印兩方。

現藏故宮博物院。

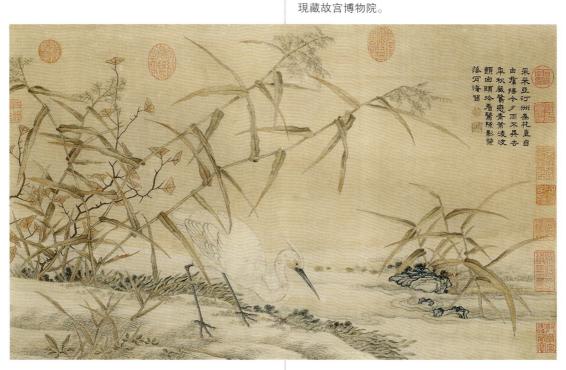

【 紡織品 】

清（公元一六四四年至公元一九一一年）

緙絲梅花雙禽圖
清
長34.2、寬33.8厘米。
圖中兩隻麻雀栖于枝頭，梅枝上梅花綻開，梅枝下襯以山石和天竹等。
現藏故宮博物院。

緙絲白頭翁海棠圖
清
長34.2、寬33.8厘米。
圖中白頭翁立于海棠枝頭俯視前方，枝上海棠花或盛開或含苞待放。
現藏故宮博物院。

[紡織品]

清（公元一六四四年至公元一九一一年）

緙絲秋桃綬帶圖（右圖）
清
高198、寬58.5厘米。
米黃色地，畫面主體爲一株挂滿桃子的桃樹，一雙綬帶鳥佇立枝頭，引頸回望。
現藏故宮博物院。

緙絲梅禽圖
清
高52、寬34.2厘米。
本色地，以黑白兩色構圖，圖案集中在畫面右側，左側留出廣闊的空間，達到虛實相映的效果。
現藏瀋陽故宮博物院。

459

[紡織品]

清（公元一六四四年至公元一九一一年）

緙絲錦雞牡丹圖（上圖）
清
高53、寬86.6厘米。
地用片金緙製，畫面主體爲兩隻長羽錦雞立于山石之上，周圍繞以牡丹、海棠和壽菊等花卉。
現藏故宮博物院。

緙絲毛九安同居挂屏
清
高72、寬104.2厘米。
挂屏爲白色地，緙織梧桐樹下一群栖息的鵪鶉，周圍有芙蓉、紅蓼和野花叢生。右上角緙織一首七言絕句。除樹葉、地子和芙蓉爲緙絲外，其餘均爲緙毛。
現藏故宮博物院。

460

[紡織品]

清（公元一六四四年至公元一九一一年）

刺繡仙鶴壽桃圖
清
一棵桃樹果實累累，樹旁有山石，兩隻仙鶴立于石上。
現藏臺北故宫博物院。

緙絲毛石榴紋挂屏
清
高110.5、寬72厘米。
以石榴樹爲主，輔以梔子、蜀葵、月季、百合和山石等。用橫向織法，景物有光影感。
現藏私人處。

461

[紡織品]

清（公元一六四四年至公元一九一一年）

緙絲花卉圖
清
高94、寬59厘米。
月白色地，緙織出梅花、桃花、竹石、朱果等花卉景物，全圖以綠、藍、棕等冷色爲基調，大紅、淺粉點綴其間，顯得暗中有鮮。
現藏南京博物院。

緙絲花卉圖
清
高94、寬59厘米。
月白色地，緙織出梅、桃、竹石、靈芝和水仙等花卉景物。采用暈色技法。
現藏南京博物院。

【 紡織品 】

清（公元一六四四年至公元一九一一年）

緙絲荷花圖
清
高91.5、寬62.8厘米。
深海藍色地，緙繪結合。
現藏臺北故宮博物院。

金地緙絲壽仙圖椅披（右圖）
清
長161.5、寬48厘米。
圖中飾祥雲、花卉和仙鶴等紋飾。展翅飛舞的仙鶴姿態優美。
現藏北京藝術博物館。

463

[紡織品]

緙絲鳳凰牡丹圖
清
長135、寬136厘米。
青色地。圖中一對鳳凰在牡丹叢中飛舞嬉戲。
現藏北京藝術博物館。

紅地緙絲雲蟒紋帳料
清
長159、寬164厘米。
圖正中爲一條正蟒，周圍四條游蟒環繞。上部飾五彩流雲紋，下部飾山海雜寶和如意雲紋。
現藏北京藝術博物館。

[紡織品]

緙絲金山全圖
清
高114、寬69厘米。
圖中烟波浩淼中金山兀立，山上寶塔高聳，山下寺院静穆，江水中帆影點點。
現藏故宫博物院。

緙絲山水人物圖（右圖）
清
高380、寬38厘米。
白色絲地，緙織山坡、樹木、河水、小舟、石橋和人物等圖景。
現藏故宫博物院。

清（公元一六四四年至公元一九一一年）

【 紡 織 品 】

清（公元一六四四年至公元一九一一年）

緙絲印心石屋山水圖（上圖）
清
高92、寬92厘米。
作品采用大膽的設色，上半部以大紅色爲地，下半部緙織青碧山水，顔色由深到淺，暈色自如。遠處山峰險峻，近處百舸爭流。引首織"印心石屋南崖之圖"。
現藏南京博物院。

緙絲仇英後赤壁賦圖
清
高30、寬550厘米。
此圖係摹緙明代仇英作品《後赤壁賦圖》而成。米色地上設青、碧等色，緙織通景蘇東坡與友人重游赤壁圖。此選爲局部。
現藏故宮博物院。

【紡織品】

清（公元一六四四年至公元一九一一年）

緙絲山水圖
清
高108、寬68.8厘米。
此幅圖軸的顯著特點是緙畫結合，以綉加畫，共同組成山水圖景。
現藏臺北故宮博物院。

467

[紡織品]

清（公元一六四四年至公元一九一一年）

緙絲渾儀博古圖（左圖）
清
高138、寬44.8厘米。
黃色半熟絲地上緙織雲蝠紋地，其上裝飾渾儀、鼎、罍和尊等古器物及蝙蝠、象、鹿等瑞獸，色彩和紋飾複雜多變，下部的橫襴爲朱地織彩鳳穿花圖案。
現藏遼寧省博物館。

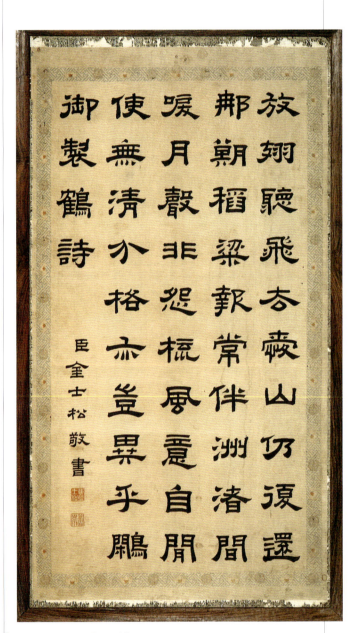

緙絲金士松書御詩
清
高90.5、寬50.5厘米。
本色地上緙出金士松書寫御製鶴詩。詩外緙織一周綠色規矩紋地團壽紋邊。
現藏南京博物院。

[紡織品]

緙絲壽字
清
高208、寬132.6厘米。
本色地上緙織大紅"壽"字。壽字筆畫中填充牡丹、玉蘭、梅、蘭、竹和菊等百花圖案，花卉輪廓爲緙織，細節用色筆添染。
現藏臺北故宮博物院。

緙絲雲鶴望日補子
清
高29、寬31厘米。
金地，用通經斷緯的方法緙織出一仙鶴，脚踏山石，引頸回望，下爲平水八寶，上爲祥雲紅日。
現藏故宮博物院。

清（公元一六四四年至公元一九一一年）

[紡織品]

清（公元一六四四年至公元一九一一年）

緙絲麒麟紋補子
清
高31.4、寬31.4厘米。
補邊爲石青地緙織連續"卍"字紋，中立一麒麟，周圍環繞太陽、花卉及雜寶圖案。
現藏瀋陽故宮博物院。

緙絲獅子紋補子
清
高26、寬25.5厘米。
獅子昂首，天空中爲祥雲紅日和八寶。
現藏美國私人處。

[紡織品]

蘇綉加官圖
清
長175、寬76.5厘米。
本色緞面。上綉一少婦折桂枝施于一孩童，一孩童舉桂枝藏于少婦身後。
現藏北京藝術博物館。

蘇綉先春四喜圖
清
高86.8、寬48.2厘米。
靛藍色地，刺綉喜鵲、梅花、山石及水仙，少數部位添筆鋪色。
現藏臺北故宮博物院。

[紡織品]

清（公元一六四四年至公元一九一一年）

蘇綉玉堂富貴圖
清
長146、寬69.5厘米。
藍色江綢地。上綉海棠、錦雞和雀鳥等紋飾，錦雞昂首回望，色彩濃艷。
現藏北京藝術博物館。

蘇綉雙面綉五倫圖
清
長103、寬60厘米。
米黃色紅綢地。上綉鳳凰、仙鶴、鴛鴦、鵲鴿、鶯鳥和盛開的桃花、月季、荷花及梧桐、湖石和靈芝等。
現藏北京藝術博物館。

472

[紡織品]

清（公元一六四四年至公元一九一一年）

蘇綉夔龍鳳牡丹紋墊面
清
長134、寬125厘米。
黃緞地。中心如意形框內綉瑞花，框外綉牡丹蔓草，四角爲夔鳳拐子紋，四邊帶狀飾內綉八條夔龍。
現藏北京藝術博物館。

[紡織品]

清（公元一六四四年至公元一九一一年）

顧繡獵鷹圖
清
高96、寬44厘米。
白綾地。上繡獵手騎馬張弓射雁的情景，獵手髡髮，束帶蹬靴。
現藏故宮博物院。

顧繡繡球海棠圖（右圖）
清
高119、寬37厘米。
米色緞紋綾地，繡整枝繡球花、海棠花及小草。
現藏故宮博物院。

[紡織品]

廣綉百鳥爭鳴圖

清
高74、寬52厘米。
米色素綾地。上綉百鳥圖，有孔雀、錦雞、鴛鴦、鵪鶉、蜂鳥、八哥、鸚鵡和雞等，另有三羊及牡丹、荷花、菊花和雞冠花等各色花卉。
現藏故宮博物院。

清（公元一六四四年至公元一九一一年）

[紡織品]

清（公元一六四四年至公元一九一一年）

廣綉三羊開泰圖
清
高67、寬52.5厘米。牙白色緞面，上綉太陽、流雲、百鳥、山石、樹木及三羊圖案。現藏故宮博物院。

【 紡織品 】

清（公元一六四四年至公元一九一一年）

廣綉飛泉挂碧峰圖

清
高44、寬35厘米。
圖中綉山水風景，表現江邊茅舍中苦讀的書生和岸邊竹蔭下撒網的漁夫。現藏故宮博物院。

潮綉"暹羅社"人物故事過廳彩（下圖）

清
長396、寬53厘米。
此件作品爲潮劇戲班懸挂于戲臺上的橫額，紅色緞地上綉通景人物雜耍及戲曲表演場景，金絲綉"暹羅社"三字穿插其間。
現藏廣東省博物館。

477

[紡織品]

清（公元一六四四年至公元一九一一年）

潮繡人物花鳥案眉
清
長196、寬105厘米。
此件作品分兩部分，上部爲戲曲雜耍圖，下部爲雙鳳花卉圖。
現藏廣東省博物館。

堆綾繡尊勝佛母像
清
高62.5、寬45厘米。
堆綾是刺綉中的特殊品種，主要運用裁剪成形的各色綾片組成精美的圖案，細部有時施以少量刺綉。此幅作品使用約三十種不同顏色的緞、綾、綢、綯等材料，經三重或四重、五重的縫綴貼飾而成，局部施以刺綉。
現藏故宫博物院。

[紡織品]

堆綾繡唐明皇楊貴妃戲像

清
高39、寬33厘米。戲曲人物爲京劇《長生殿》裝扮。唐明皇戴冠，懸掛三髯口面，着團龍紋明黃帔，執扇。楊貴妃戴鳳冠，披雲肩，着宮裝。現藏故宮博物院。

清（公元一六四四年至公元一九一一年）

[紡織品]

清（公元一六四四年至公元一九一一年）

魯綉花鳥紋門簾
清
長318、寬113.5厘米。
緞面。上綉玉蘭樹、孔雀和各種花鳥。
現藏故宮博物院。

刺綉關羽像
清
高117、寬43厘米。
圖中綉關羽手捻美髯坐于虎皮墩上，周倉持青龍偃月刀侍立身後。
現藏故宮博物院。

[紡織品]

刺綉十六羅漢像
清
高27.8、寬27.7厘米。
册頁以白綾爲地，以細絲絨綫綉出形象的輪廓，用墨及淡彩着色渲染。上幅爲觀世音菩薩；下幅爲一拄杖羅漢坐于樹下，接受信徒的跪拜。選二幅。
現藏故宮博物院。

清（公元一六四四年至公元一九一一年）

[紡 織 品]

清（公元一六四四年至公元一九一一年）

刺繡闆苑長春圖
清
高32.9、寬29.8厘米。
兩幅分別為荷花翠鳥圖和繡球蜻蜓圖。藍地，刺繡花紋，局部用筆添染設色。
現藏臺北故宮博物院。

【 紡織品 】

清（公元一六四四年至公元一九一一年）

刺綉麻姑像
清
高131、寬70厘米。
深藍色綢地上刺綉身穿廣袖長袍、手持仙桃、肩扛鋤頭花籃的麻姑形象，身後有一隻梅花鹿緊緊跟隨。
現藏江蘇省南通博物苑。

刺綉咸池浴日圖（右圖）
清
高144.3、寬49.3厘米。
黃綾綉地，畫面爲一輪紅日自波濤翻滾的咸池中升起，空中彩雲飄浮，近處神山若木。
現藏臺北故宮博物院。

483

[紡織品]

清（公元一六四四年至公元一九一一年）

刺繡西湖圖
清
高24.1、寬26.3厘米。
淺棕色地，色彩以草綠、靛藍和棕褐爲主，偶用玫瑰紅點染。西湖圖爲多幅，此圖爲其中之一。
現藏臺北故宮博物院。

刺繡人物團花桌圍
清
高46、寬80.2厘米。
白地，織中心團花與四角花籃圖案。團花周圍繞以彩蝶。中心團花中爲童子抱琴跟隨老者在花園漫步。
現藏南京博物院。

刺綉光緒御筆松鶴圖
清
高133、寬65厘米。
牙白色緞地。上綉光緒皇帝御筆松鶴圖，松樹蒼勁挺拔，仙鶴回首展翅。
現藏故宮博物院。

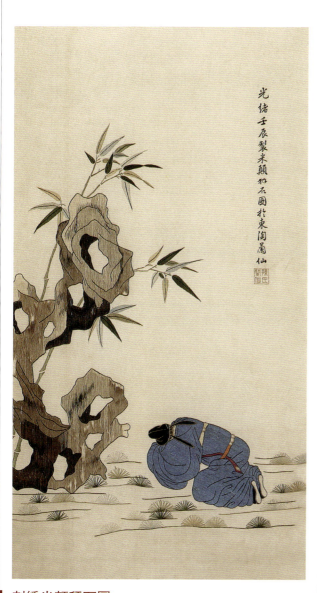

刺綉米顛拜石圖
清
高71.3、寬41.2厘米。
石前一人匍地跪拜，狀極虔誠。傳說米顛酷愛奇石，遇有奇石有時甚至跪拜，本圖即取材于此。本色地上綉一奇石出于左側，幾叢修竹伴生石旁。引首有題字"光緒壬辰製米顛拜石圖于東陶蘭仙"，鈐"孫氏蘭仙"朱印一方。
現藏南京博物院。

[紡織品]

清（公元一六四四年至公元一九一一年）

刺綉八仙紋壽字
清
山東泰安市徵集。
長110、寬78厘米。
壽字以粉紅綢爲地，用各色彩綢以貼綉法裝飾暗八仙紋、八卦紋、蝙蝠及花卉紋，具有地方特色。
現藏故宮博物院。

紅緞綉百子圖墊料
清
長134、寬97.5厘米。
紅色緞面。畫面由上到下，有的童子運桃、抱桃和抬桃，有的童子觀魚和捕魚，有的童子敲磬、抬瓜和撲蝶等。
現藏故宮博物院。

【紡織品】

喜相逢雙蝶刺繡團花
清

團花直徑26厘米。
喜相逢圖案取成雙的動物紋盤旋相對，含夫妻相愛之意。這件團花圖案為青地上刺繡上下相對的一雙彩蝶，周圍繞以折枝花卉，色彩艷麗。
現藏故宮博物院。

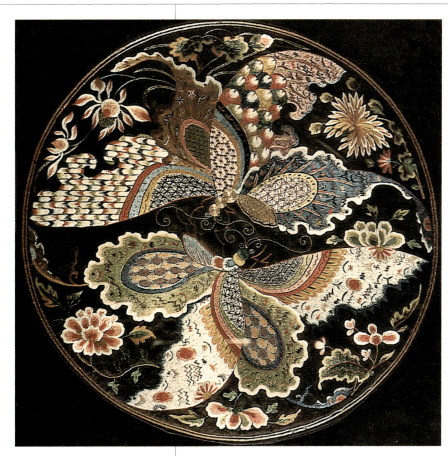

喜相逢雙鳳刺繡團花
清

團花直徑26厘米。
團花圖案為深紫色地上繡上下翻飛的雙鳳。
現藏故宮博物院。

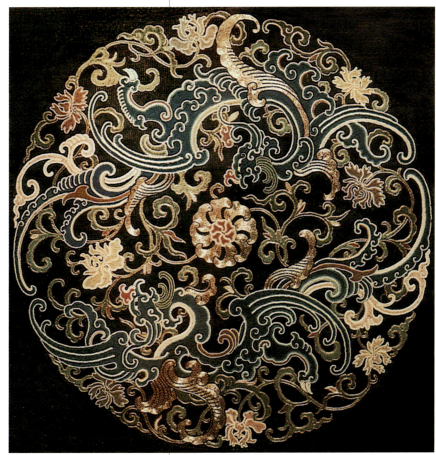

清（公元一六四四年至公元一九一一年）

487

[紡織品]

清（公元一六四四年至公元一九一一年）

刺繡玉堂富貴壽屏

清

每屏高258、寬63厘米。
原屏十二幅，選七幅。石青緞繡底，運用各色彩綫繡花卉、飛鳥、湖石及竹子圖案。
現藏故宮博物院。

[紡織品]

清（公元一六四四年至公元一九一一年）

[紡織品]

明黃緞地彩繡九龍墊面
清
長117.5、寬132厘米。
明黃色緞面。上綉九龍，大龍和小龍雜處，又稱子孫龍。周圍襯托紅蝠、祥雲、海水江牙、暗八仙和雜寶等紋飾。
現藏北京藝術博物館。

【 紡織品 】

刺綉丹鶴朝陽紋補子
清
高36、寬36厘米。
仙鶴立于山石之上，回首望日，展翅欲飛。
現藏故宮博物院。

清（公元一六四四年至公元一九一一年）

[紡織品]

清（公元一六四四年至公元一九一一年）

刺繡雲雁紋補子
清
長37、寬37厘米。
此補子爲方形，補邊四周釘金雙夔紋，補面以連續的藍色雲紋爲地，正中飾一平金銀大雁，正向著左上方一輪紅日。
現藏瀋陽故宮博物院。

刺繡孔雀紋補子
清
高33.1、寬33.65厘米。
孔雀單足立于山石之上，身上部分羽毛使用真孔雀羽。
現藏美國耶魯大學藝術館。

[紡織品]

刺繡錦雞紋補子
清
高29.85、寬30.48厘米。
錦雞羽毛色彩鮮艷。
現藏美國耶魯大學藝術館。

刺繡鷥鳥紋補子
清
高29.85、寬30.3厘米。
鷥鳥單隻,前後有山石樹木。
現藏美國耶魯大學藝術館。

【 紡織品 】

清（公元一六四四年至公元一九一一年）

刺繡鵪鶉紋補子
清
高29.85、寬31.8厘米。
鵪鶉振翅欲飛。
現藏美國耶魯大學藝術館。

刺繡芙蓉花卉紋補子
清
長39.5、寬39厘米。
畫面中央爲一朵大芙蓉花，
周圍繡菊花和桂花等花卉，
組成團花紋飾。
現藏故宮博物院。

趙慧君刺繡金帶圍圖
清
高70、寬28.8厘米。
白緞上繡一枝折枝芍藥，品種是"金帶圍"，爲祥瑞之花。左上方墨絲繡顧春福題句，款"隱梅庵外史"。芍藥枝幹處繡"慧君女史繡"和"印珠"，右下方有"寫翠樓"朱章。
現藏上海博物館。

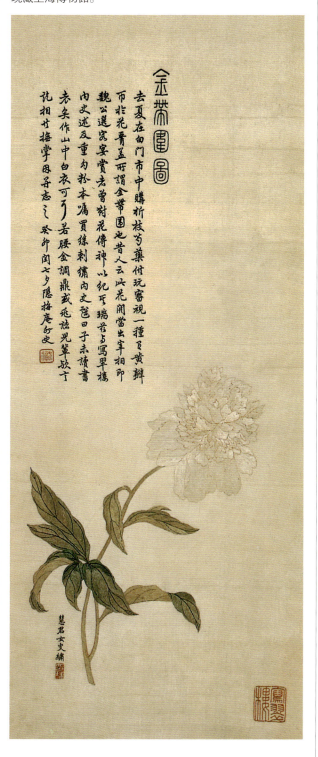

薛文華繡紫藤雙鷄圖
清
高113、寬40厘米。
白綾爲地，畫面上方垂下一株盛開的紫藤蘿，花下立雌雄二鷄。
現藏故宮博物院。

[紡織品]

清（公元一六四四年至公元一九一一年）

沈壽綉長眉羅漢像
清
高50.8、寬32.7厘米。
白綾地，綉一長眉羅漢坐于樹根椅上，一手拽袖，一手捋長眉，仰望蒼天，神態自如，右綉"姓名長在御屏風"方印。
現藏南京博物院。

沈壽綉執杖羅漢像
清
高50.8、寬32.7厘米。
白綾地，綉一拄杖羅漢，着茄青色衣，作仰望狀，身後置竹笠、鉢盂、經書和包袱等，右綉"吳中天香閣女士沈壽"印。沈壽爲著名蘇綉藝術家，仿真綉的創始人。
現藏南京博物院。

496

[紡織品]

沈壽綉柳燕圖
清
高98、寬35厘米。
圖中綉柳枝飄拂，燕子成雙成對，或棲枝，或飛舞。
現藏故宮博物院。

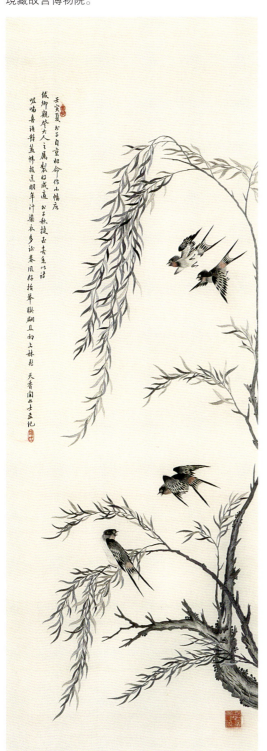

沈壽綉美國演員倍克像
清
高31.5、寬25.8厘米。
爲沈壽仿真綉最後一幅代表作。熟練運用現代光影透視原理，展現人物肌理層次及明暗變化。
現藏南京博物院。

清（公元一六四四年至公元一九一一年）

497

清（公元前一六四四年至公元一九一二年）

沈壽綉耶穌像
清
高54.8、寬39.4厘米。
沈壽仿真綉代表作。取材于《聖經》耶穌遇難再生的故事，運用明暗光影的變化來展現人物的肌理層次，具有西方油畫的效果。
現藏南京博物院。

[紡織品]

清（公元一六四四年至公元一九一一年）

張淑德綉夕陽返照圖（上圖）
清
高56.8、寬93厘米。
此幅作品爲仿真綉的代表作之一，畫面景觀運用焦點透視來表現，內容爲素描風景。
現藏江蘇省南通博物苑。

李群秀綉奉天牧羊圖
清
高46、寬75厘米。
此幅作品采用西洋繪畫的技法，用明暗光影來表現圖案內容，極富立體感，是美術綉中的上品。
現藏江蘇省南通博物苑。

499

[紡織品]

清（公元前一六四四年至公元一九一一年）

張華璟繡雄雞圖
清
高62、寬58厘米。
繡雄雞卧于稻草之上，旁邊有盛開的月季花及飛鳴的蜜蜂。
現藏故宮博物院。

凌杼繡愛梅圖
清
高34.6厘米。
畫面以黑、褐爲基調，繡一戴巾高士籠袖伏在一株梅樹上，仰頭望梅。表現北宋詩人林和靖痴梅、愛梅、以梅爲妻的故事。凌杼是清末蘇繡名家。
現藏南京博物院。

絹地雙面綉花鳥紋團扇
清
通長43.3、扇面寬26.7厘米。
扇面以白絹爲地，運用雙面綉技法在扇的兩面綉松樹、飛鳥、蝴蝶、芙蓉等。
現藏故宮博物院。

綠地納紗綉碧桃蝴蝶紋宮扇
清
通長50、扇面上寬32.3、下寬29.1厘米。
扇面以綠色直經紗爲地，綉桃花及彩蝶圖案，花瓣部位作暈色處理，顏色依次爲大紅、淺粉和白色。
現藏故宮博物院。

[紡織品]

清（公元前一六四四年至公元一九一一年）

粘絹花菊花紋團扇
清
扇面直徑20、柄長11厘米。
扇面爲白絹地，兩面貼飾絹製菊花各一株，花瓣翹起于扇面之上。
現藏中央民族大學民族研究所。

綠地彩綉石榴紋宮扇
清
通長48、扇面上寬30、下寬21.2厘米。
扇面以綠色牡丹蝴蝶暗花寶地紗爲地，上綉整株石榴及花葉紋。
現藏故宫博物院。

[紡織品]

藍緞釘金銀刺繡小品
清
長8-31.5、寬5-8.5厘米。
四件爲一套，分別爲扇套、鏡套、香囊和香袋，皆以藍緞爲地，上繡釘金銀彩色圖案，結明黃色縧穗。現藏瀋陽故宮博物院。

清（公元前一六四四年至公元一九一一年）

[紡織品]

刺繡檳榔香袋
清
長11、寬6厘米。
略呈長方形，由杏黃、大紅兩色軟緞縫接而成，上半部杏黃色緞地上綉蓮花，下半部大紅色緞地上綉飛蝶戲花，口部繫紅色絲綫，底部垂四穗。現藏中央民族大學民族研究所。

刺繡烟荷包
清
長15.5、寬11厘米。
呈葫蘆形，以湖色緞爲地，兩面綉花鳥瑞獸圖案，周圍鑲人字形絲花帶，中腰穿繩，用以伸縮開合，頂部繫土黃色編織帶，底部垂四穗。現藏中央民族大學民族研究所。

[紡織品]

刺绣桃形香袋
清
長9、寬11厘米。
大紅色軟緞爲地,兩面綉金彩雙喜字、佛手和如意等吉祥圖案。袋口納褶,并穿藍絲帶,絲帶上嵌有四顆料珠。現藏中央民族大學民族研究所。

刺绣眼鏡盒
清
長15.5、寬7.3、厚2.5厘米。
面料爲湖色緞地,前後綉仙鶴、雙鹿、鳥雀和孔雀等動物圖案,藍緞鑲邊。盒蓋裏子爲大紅絲綢,盒底裏子爲粉紅色棉布,頂部穿藍色編織帶,上綴彩繪瓷珠,底部垂紅、黄兩穗。
現藏中央民族大學民族研究所。

納紗幾何紋扇套
清
長26、口寬4.8、底寬3.4厘米。
扇套通體納綉深藍、棕色、淺駝和綠色幾何紋圖案,頂部穿藍色編織絲帶。
現藏中央民族大學民族研究所。

清（公元前一六四四年至公元一九一一年）

505

[紡織品]

清（公元前一六四四年至公元一九一一年）

藍緞彩綉鞍墊
清
長150、最寬77厘米。
以藍色暗雲紋緞爲地，正中織游龍戲珠，外圍環繞兩層裝飾紋樣，内層爲捲草，外層爲八吉祥，每層紋樣間都有織金緞條紋相分隔。邊緣外包鑲深藍色絲絨。
現藏瀋陽故宮博物院。

雙面綉富貴壽考圍屏
清
高192.5、寬251厘米。
黄色直經紗地，兩面花色相同，爲山石、松樹、花卉及蝙蝠紋，象徵富貴、長壽與吉祥。
現藏故宫博物院。

[紡織品]

清（公元前一六四四年至公元一九一一年）

貼花大白傘蓋佛母像
清
高70、寬47厘米。
佛母爲一面二臂三目，結跏趺坐于蓮臺上，右手作無色結，左手持大白傘蓋，佛像背後爲彩雲紅日，前面爲海濤及各種動物紋。
現藏西藏自治區羅布林卡。

漳絨刺繪山水圖
清
高62、寬60厘米。
圖爲雪景山水，松柏高大，一群寒鴉或栖枯枝，或盤旋空中。其技法以部分割絨的漳絨作地，再加彩繪。
現藏故宮博物院。

【 紡織品 】

清（公元前一六四四年至公元一九一一年）

漳絨漁樵耕讀圖屏
清
高108、寬25厘米。
共四屏，爲山水圖。選二屏。一幅爲漁翁戴笠披蓑，攜網提簍行于溪橋之上；另一幅爲林木葱鬱的深澗，一書生騎驢過橋，怡然自得。
現藏故宮博物院。

刮絨花鳥圖

清

高34、寬24厘米。

共十二開,選二開。上圖爲二雀鳥在一株桃花間嬉戲;下圖爲太湖石旁一簇花卉盛開。
現藏故宮博物院。

清（公元一六四四年至公元一九一一年）

[紡織品]

清（公元一六四四年至公元一九一一年）

新疆金綫地花卉栽絨地毯
清
高321、寬163.5厘米。
毯心爲連續的四出朵花紋樣。毯邊分四道，由外而内，第一道爲藍色素邊，第二道爲紅地串枝花珠紋，第三道爲白地折枝花卉紋，第四道爲藍地串枝花珠紋。
現藏故宫博物院。

金綫地幾何團花栽絨絲毯

清

高258、寬159厘米。

此毯用彩色絲綫拴扣起絨花的方法編織而成。毯心織三列六行團花圖案，團花之間填飾藍色朵花回紋。毯邊共分四道，由外向內，依次是黃色素邊、團花紋地開光折枝花果紋花邊和黑地串枝花邊和碎花花邊。毯的一端織有"乾清宮御用"五字。

現藏故宮博物院。

清（公元前一六四四年至公元一九一一年）

[紡織品]

彩織極樂世界圖
清
高448、寬196.5厘米。
此圖軸根據清代宮廷畫家丁觀鵬的畫稿織成。畫面以一佛二菩薩為中心，在其上下左右對稱安排了二百七十八個不同神態的天神形象，背景襯以仙山樓閣、七彩祥雲。
現藏故宮博物院。

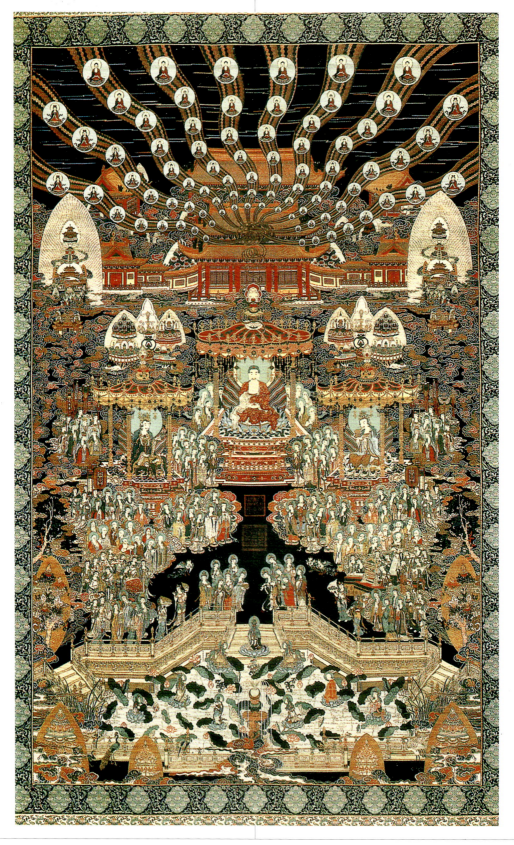

清（公元前一六四四年至公元一九一一年）

貼花空行母像

清
高100、寬66厘米。
空行母爲裸身，呈立姿，一手執鉞，一手拿頭顱，頭戴骷髏冠，項戴骷髏鏈，身飾珍珠瓔珞，雙脚各踏一外道神，背光爲赭色火焰，空行母像的四周爲神像和修行、天葬等場面。
現藏西藏自治區羅布林卡。

清（公元前一六四四年至公元一九一一年）

年　表

（紅色字體爲本卷涉及時代）

新石器時代（公元前8000年—公元前2000年）

夏（公元前21世紀 – 公元前16世紀）

商（公元前16世紀—公元前11世紀）

西周（公元前11世紀—公元前771年）

春秋（公元前770年 – 公元前476年）

戰國（公元前475年—公元前221年）

秦（公元前221年 – 公元前207年）

漢（公元前206年—公元220年）
　　西漢（公元前206年—公元8年）
　　新（公元9年 – 公元23年）
　　東漢（公元25年—公元220年）

三國（公元220年—公元265年）
　　魏（公元220年 – 公元265年）
　　蜀（公元221年 – 公元263年）
　　吳（公元222年 – 公元280年）

西晉（公元265年—公元316年）

十六國（公元304年—公元439年）

東晉（公元317年 – 公元420年）

北朝（公元386年—公元581年）
　　北魏（公元386年 – 公元534年）
　　東魏（公元534年 – 公元550年）
　　西魏（公元535年 – 公元556年）
　　北齊（公元550年 – 公元577年）

北周（公元557年 – 公元581年）

南朝（公元420年 – 公元589年）
　　宋（公元420年 – 公元479年）
　　齊（公元479年 – 公元502年）
　　梁（公元502年 – 公元557年）
　　陳（公元557年 – 公元589年）

隋（公元581年 – 公元618年）

唐（公元618年—公元907年）

五代十國（公元907年—公元960年）

遼（公元916年—公元1125年）

宋（公元960年—公元1279年）
　　北宋（公元960年—公元1127年）
　　南宋（公元1127年—公元1279年）

西夏（公元1038年—公元1227年）

金（公元1115年—公元1234年）

元（公元1271年—公元1368年）

明（公元1368年—公元1644年）

清（公元1644年—公元1911年）